ベツレヘムの星

原 野百合

YOBEL,Inc.

装幀　ロゴスデザイン：長尾 優

ベツレヘムの星

目次

ベツレヘムの星

登場人物

1 樫村和夫(かしむらかずお)　主人公・戦争孤児
2 樫村鈴子(かしむら)　和夫の妹
3 樫村国生(かしむらくにお)　和夫と鈴子の父
4 樫村淑子(かしむらよしこ)　和夫と鈴子の母
5 森田五郎　和夫と鈴子に救いの手を伸ばした男
6 藤崎洋平(ふじさきようへい)　和夫を家族に迎えた医師
7 藤崎節子(ふじさきせつこ)　医師の妻(つま)
8 平沢四郎(ひらさわ)　教会の牧師(ぼくし)
9 平沢ふみ　牧師(ぼくし)の妻(つま)

1　北関東のはずれに

北関東のはずれに太洋という町がある。

町は阿武隈山脈のなだらかな山並みと、それに平行する海岸線に挟まれた細長い地域にあった。太平洋と呼ばれるその海は、遥かな広がりを見せ、山から海への距離は約三千メートル。もともとこの町は農業と漁村を中心とする寒村にすぎなかったので、畑や雑木林が多く、緑豊かな山を背にのんびりした環境であった。その中で唯一、人目を引くのは、山間の中にくっきりとそびえる、東洋一とうたわれた、大煙突の姿であった。


一方、山並みに平行する海岸線は南北二十四キロに及び、市街地の多くはこの海岸に沿った階段状の丘の上に発達していた。海岸には二十メートルの切り立った段崖があり、岬と岬の間の崖下には細長い砂浜が広がっていた。

戦争前は、この砂浜に大勢の海水浴客があふれていた。

この小さな町に活気を与えたのは、太洋製作所の工場であった。町は太洋工場を中心として発達し、昭和二十年には工場へ通う数万の人々で賑わっていた。

だが多くの人々はこの町に急速に迫りつつある、真っ黒な暗雲に気づかなかった。

昭和十六年（一九四二）十二月八日、日本の真珠湾攻撃をきっかけに、太平洋戦争が火蓋を切った。戦いは一挙に全世界に拡大し、第一次世界大戦に次いで第二次世界大戦へと突入した。

戦局は初め日本に有利であったが、ミッドウェー海戦を転機に、一挙に厳しくなり始めた。日本国内はまもなく物資統制（注・政府の力で物価に制限を加える）の発令、学校での軍事訓練が始まり、戦火は次第に日本全土におよんだ。

昭和二十年（一九四五）三月十日、日本の大都市は東京を初めとして、米国によって今までに

ない大空襲にさらされ、次いで戦火は名古屋、大阪、神戸、再び名古屋に広がった。その後、攻撃は全国五十八の中小都市に向けられ、軍需工業都市であった太洋市も標的となった。

アメリカ軍の攻撃は凄まじく一トン爆弾投下（六月十日）、艦砲射撃（七月一七日）、焼夷弾による絨毯爆撃（注・航空機から市内一面に爆弾などを落として攻撃する）（七月十九日）と三度におよんだ。

その結果、太洋市ではそれまで堂々たる建物を誇っていた太洋製作所の工場が、主たる海岸工場をはじめとしてほとんどの建物が見る影もなく破壊された。この時の三度の猛爆によって市街地の約八割が焼け焦げて、当時十一万人あった人口が三万人に減少した。

その後、日本は昭和二十年（一九四五）八月六日、および九日、アメリカによる二度の原爆投下を受けて、ついに無条件降伏に至り、ここで十五年にわたる二度の世界大戦はようやく終結した。

悪夢のような戦争は終わった。

日本は敗戦国となった。一般庶民にとって、戦争の終わりは、さらなる新しい戦いの始まりでもあった。

新たな戦場とは、戦争で家、家族を失った国々と、日本中の家庭であった。

2　孤児となった和夫と鈴子

昭和二十年(一九四五)八月十五日の玉音放送の翌日、太洋市の山川町の高台に立つ二つの人影があった。戦火で家と母親を失った樫村和夫と妹の鈴子。太平洋の地平線をぼんやり見つめる二人の間に、長い長い沈黙が流れた。

国民服を着た背中に僅かな衣類が入ったリュックサックを背負い、炒った大豆を入れた小さな袋と水筒を体になかめにかけ、足にはゲートルを巻き、すり切れた靴をはいた和夫は十五歳。かたわらの鈴子も同じように袋と水筒を下げ、一年生の教科書一冊と小さなカードを入れたブリキの筆箱が入ったリュックサックを背負っていた。首から下げた防空頭巾は雨風を避けるためで、七歳になったばかり。八月の強い太陽の陽射しが容赦なく二人に照りつけていた。

七月十九日の爆弾攻撃で母親と家を失ってから、まだ一か月足らず。この短い期間に、あまりにも思いがけない出来事が二人を通り抜けていった。その爪痕があまりにも深刻だったために、戦争が終わった喜びや安堵すらなかった。

「お母ちゃん、死んじゃった。」
焼け残った人形を片腕に抱いて、放心したようにくり返し呟く鈴子が哀れだった。家も焼けてしまった。これからどうやって生きていけばいいのか。どこに住んで、何をしたらいいのか。こんな普段の生活のことですら和夫はまごついていた。ただ分かるのは、何がなんでも残されたたった一人の家族、宝のような妹を守っていかなければならないという固い決心だった。この悲しくも勇ましい決意だけが、和夫を奮い立たせていた。自分がほんの短い間に一気に大人になったような気がした。

四年前、父の国生は戦争に行き、三年後に南洋の海に沈んだ船と共に亡くなったと母から聞かされていた。和夫は父が召集されたその日のことをよく覚えていた。

濃い紅色の花をつけた夾竹桃が満開の日だった。家から坂を下り、道にそれる所で軍服を着た父は振り返って自分を見つめた。かすかにうなずいたその視線の中に、父が自分に託した務めがあったような気がした。その時、和夫はまだ十一歳だった。

母を空襲で失って以来、鈴子は和夫に影のようにぴったりとくっついて離れなかった。

「兄ちゃん、兄ちゃん」少しでも姿が見えないと、兄を呼び続けた。

母が空襲で亡くなってすぐ、和夫はすぐ大きな問題に突き当たった。

「母さんを埋葬してあげなければ」と生前親しくしていた隣組の森川さんが言った。

とまどう和夫に、おばさんは続けた。

「リヤカーを借りてきてあげるから、お母さんの遺体を遺体置き場か焼き場に運ぶといいよ。」

しばらくすると小母さんは親しくしている近所の小父さんからリヤカーを調達してきて、鈴子の手を引いて早く出かけるように手で合図した。

「鈴ちゃんは預かっておくから、安心して。道がすごく混んでいるから気をつけて行っといで。小さい子には見せたくない場所だからね。」

和夫が意を決してリヤカーに母の遺体を乗せ、上にむしろをかぶせて歩き出すと「兄ちゃん、兄ちゃん、行かないで！」と叫ぶ鈴子の声が後から長く響いて追いかけてきた。その声を振り切って坂を降りて行くと、かつて山川城跡であり、自分も六年間通った山川国民学校の大きな建物が焼け落ちている光景が目に入った。七月十七日の艦砲射撃でやられたと聞いていた。その坂の反対側の少し下方にある太洋病院の第二病棟や看護婦寄宿舎は昭和十六年（一九四一）に完成したばかりなのに、目をそむけるような姿をさらけ出していた。陸前浜街道に出ると、市街地は兎山の供給所から神坂神社まで一面焼け野原で、焼け残った電柱と屋根の落ちた倉庫が焼けて燻っていると通りすがりの人が教えてくれた。

「国民学校も病院も女学校もほんの数年前に新築されたばかりなのに、どこもかしこも見る影なしだよ」と嘆いていた森川さんの言葉通りだった。

街道に出ると道路はさらにごった返していた。六月十日に始まった米軍による三度の本格的攻撃の開始以来、町中が死体置き場や焼き場に向う荷車を引く人、タンカで死体を運ぶ人々の列が葬列のように続いていた。その他には棺の代わりに棚板を外して釘で打ちつけた急ごしらえの棺で遺体を運ぶ人々もいた。

一方、荷台に死体を満載していくトラックもあった。何やら黒っぽい荷物を山のように積んでいると思ってよく見ると、それが焼死体であったりした。車の両側からぶらさがった足が、何本も無造作に揺れる光景、いくら目を背けても担架やリヤカーの上にかけたむしろからずり落ちて揺れる片足や血塗れの片腕などが垣間見え、死体を運んで行く人々のやつれた顔や血に染った作業服などが痛々しかった。

まるで地獄のようだと和夫は思った。

森川の小母さんが鈴子を預かってくれたことは、本当にありがたかった。殺人的に混雑したこの悲惨な光景を見たら、鈴子は恐怖のあまり一晩中うなされたにちがいなかった。

その中で和夫が唯一ほっとしたことは、母の死に顔が安らかだったことだった。色々な人の話を聞くと、防空壕の中で爆風によって圧死した人の中には苦悶の表情の人もあるらしかった。けれども母の淑子の死に顔は、安らかだった。それだけでもどんなに感謝したことだろう。

それにしても、戦争とはなんて凄まじい破壊の世界なのだろう。平和な世界では、たった一人を傷つけても、あるいはパンを一箇盗んだだけでも罪に問われ、その罰に何か月、あるいは殺人罪であれば何十年という刑に服さなければならないのに、戦争ならば敵を何十人殺しても、あるいは傷つけても当然だと正当化され、それどころか称賛され、時に勲章まで与えられる恐ろしい無秩序の世界なのだと改めて思った。

和夫は国道を横切って春には美しい桜の名所となる太洋第二高等女学校の裏門の坂を登り始めた。高台からは、メチャクチャに崩れて廃墟となった太洋製作所の海岸工場跡が見えた。かつて整然と建ち並び日本でも稀な、堂々たる建物を誇っていた三階建ての工場は、無数の鉄線が垂れ下がった無惨な鉄骨の塊にすぎなかった。ふと七月十七日の深夜、突然闇を縫って鳴り響いたダッダッという機関砲の音を思い出して、思わず身をすくめた。冷汗がタラリと垂れた。

当時、太洋第二高等学校は負傷者の臨時収容所と爆死者の収容所の両方を兼ねていた。校門近くの松の木の根元には、死者や負傷者を運ぶために使ったらしい雨戸やむしろや折れた

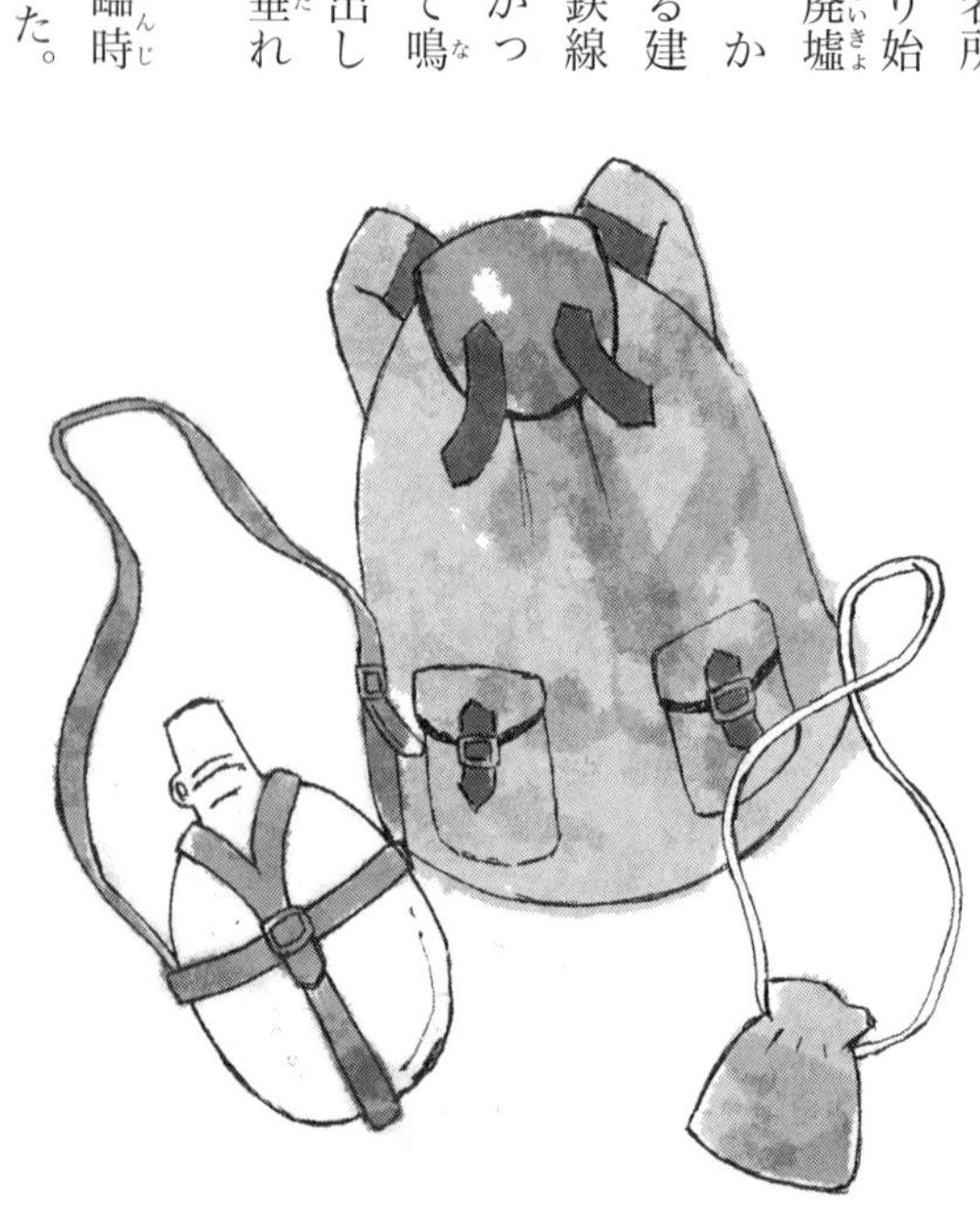

棒きれなどが散らばっていた。

昇降口からのぞくと長い廊下に人影はなく、入口近くに片方の草履が落ちていた。建物のほとんどは焼失していたが、まだ端の方の幾つかの教室は残っていた。がらんとした薄暗い廊下を歩いていくと、受付用らしい小さな机が見えた。机の上にはノートの切れ端のような紙と短い鉛筆があり、その横に香炉が置かれていた。廊下はその香炉から出るもくもくとした煙と目に痛いほどのきつい香りで充満していた。

先にリヤカーを昇降口の入口に置いた和夫は、爆死者の収容室を探しながら、部屋を覗き歩いた。一つの教室には、汚れた布をまとった人や、地下足袋のまま横たわっている怪我人、まるで死んだように動かない老婆、血塗れの包帯にぐるぐる巻かれて苦痛をこらえる中年の男、黒髪を乱して悶え苦しむ女性、半てんの上に寝かされた幼児の姿などがあった。

「教員室に一番近い東側の教室が三つ霊安室になっています。ご遺体はそちらの方にお願いします。」

いつの間にか来たらしい受付係の女性が声を掛けてきた。導かれて突き当りの教室に向かうと、その教室も机や椅子が片付けられて、殺風景な床にはむしろに覆われた遺体がズラリと並んでいた。むっとした異臭が漂っている気配に、和夫は一瞬たじろいだ。それでも勇気を出して静まり返った教室に足を踏み入れた。係の人の助けを得て運んできた母の遺体をそっと床に横たえた。静まり返った教室には重苦しい沈黙と緊張感が漂い、室内には犠牲になった家族や知り合いを探す人々が、右往左往していた。

「時計が動いている……。」

その時、誰かがひとり言のように言った。むしろに覆われた遺体の腕につけた時計が、持主の心臓が止まってしまっているのに、なおも時を刻んでいた。

「カチカチ　カチカチ」

静けさの中に響くかすかな音。

「お父さん、お父さん、生き返って!」

妻らしい女性が顔中包帯で巻かれた遺体にすがって泣き叫んでいた。

教室に漂う極度の緊張と静けさ。


その日、和夫は母の遺体を火葬に伏すまで一昼夜を費やして、二日目の夜遅く、鈴子と森川の小母さんが待つバラック小屋に帰ってきた。

死者の数があまりに多かったので、市内の火葬所はどこも満杯で、大勢の人々でごった返していた。工場従業員のたくさんの死体は海岸工場の溶鉱炉で合同で火葬され、他のすべての焼却炉もフルに活動していたが、どこもパンク寸前の状態だと話している声が聞こえた。

山の中腹の細い道には、大勢の人々がびっしり並んでお骨を拾う番を待っていた。

晴れた空。眼下の森の緑がキラキラ輝いて、はるか彼方に広がる太平洋の海がのんびりと青い水をたたえていた。

和夫は母の火葬からの帰り道、焼け野原で露天火葬の煙が立ち昇る光景を目にした。火葬所で間に合わない人々は、道端でも火葬されたと聞いた。二日目の夕方、暮れかけた狭い道を通ると、空になったリヤカーのカラカラという音が聞こえた。その音を聞いて初めて「もう母さんはいないのだ」とふと思った。もう永久に母さんは帰って来ないと思うと、初めて深い悲しみがこみあげてきて涙がこぼれた。涙は後から後からこみあげてきたが、和夫は暗闇にまぎれて頬が濡れるままにした。

その後も、夜、兎山の上で立ち昇る火葬の白い煙を遠くから目にするたびに、この時の光景が深い悲しみと共によみがえってきた。

この当時、大切な家族を失った人々の多くは、悲しみもさることながら、ここ数か月にわたる戦火からの逃避行。陸・海・空から米軍の攻撃の恐怖と被災。そこから生じた凄まじい混乱の真っただ中で、極度の疲労のあまり放心して、虚脱状態だった。この時、三度におよぶ激しい猛攻撃によって、太洋市の人口は疎開者を含めて約三分の一に減少していた。

こうした中、母親の火葬という大役を果した和夫は、自分の帰宅を待ちわびて疲れて寝てしまった鈴子のもとに、クタクタになって戻ってきた。鈴子の疲れた寝顔には、涙の跡があった。

3　幼き日の思い出

そして新しい朝が明けた。

鈴子を二日間預かってくれた隣組の森川さんに礼をいうと、六十歳半ばを過ぎた小母さんは、片付けの手を休めて、同情するように和夫を見た。「あんたも大変だね。これからこんなにちっちゃい妹をつれてどうするの。行く先はあるの、近い親戚は？」

聞かれてもどう答えていいか分からなかった。母の両親と叔母の家族は、その年の三月十日、東京を襲った大空襲で皆亡くなっていた。一方、数年前に出征した父も戦死し、それ以来、父方の親戚とは行き来が遠のいていた。

「こんな時に言うのはなんだけど、実はね、あと一週間したら、わたしもここには居られないの。父さんも病気で死んでしまった。家があったから頑張ってきたけど、焼けてしまった。福島で働いている息子が帰って来いって。だから……帰ることになって、ごめんね。何かあったらリヤカーを借してくれた小父さんに相談するといいよ。」

突然の別離の予告に、和夫は胸を突かれた。母を失って以来、どうにかここまでやってこれたのは、ひとえに森川の小母さんの存在のゆえだった。隣組の小父さんと、森川の小母さんが協力して、焼け残った木材で焼け跡に建てたバラック小屋で過ごせたのも、食糧の最低の調達もみんな二人のおかげだった。

一週間後、超満員の疎開者で溢れた汽車の切符をどうにか手に入れた小母さんは、去り際、和夫と鈴子に、貰ったふかした大きなさつま芋を二つくれた。

「ごめんね。和君、鈴ちゃん。置いて行って。このズボンと上衣は亡くなった旦那のもので、こっちは私が自分で編んだ冬物のセーターだけど、リュックサックに入れて持ち歩くといいよ。今は邪魔だろうけど、寒くなればきっと役に立つから。それとこの手提げには茶碗とお箸二膳、マッチ、それにわたしが使っていた小さな鍋。みんなあげるから使って。わたしのささやかな気持ちだよ。」

小母さんの優しい心遣いは二人の心を暖めた。去っていく満員の汽車に小さく手を振る二人の目に涙が溢れた。

その後、二人はバラック小屋に一か月以上住んだ。近くの焼け跡の壊れた水道口からチョロチョロ出る水をどうにか水筒に入れて持ち歩き、昼間は食べ物を探して隣近所を歩き回った。最初の頃は畑になる夏野菜を盗んで、森川さんのくれた鍋を七輪で煮炊きして、どうにか飢えをしのいだ。季節はまだしのぎやすく、晴れた日も多く、しばらくの間、雨や露にぬれるのを防ぐためには、バラック小屋はありがたい場所だった。だが顔見知りの存在を失った心細さが、夏なのにすき間風のように二人の心を通り抜けた。さらに悪いことに、リヤカーを借してくれた小父さんが足を怪我してその治療のために、故郷の山形に引き揚げてしまったことだった。二人は顔見知りを求めて近くの小学校にも何度か足を運んだ。しかし爆撃で焼け落ちた学校は、夏のせいか人影もまばらで、ひっそりとしていた。そこで出会った上級生から、自分のクラスの担任が爆死したという報らせは、さらに心に大きな失望を与えた。「もう大好きだった先生もいないのだ」と思うと心にポッカリと穴があいた気がした。

ふたりは荷物を詰めたリュックサックに、森川さんから貰った衣類の他、母の遺骨が入った小さな木箱と、幼い時両親に連れられて行った教会で貰ったベツレヘムの星の絵が描いてある小さなカードが入ったブリキの筆箱を宝物のように大切にして持ち歩いた。

そんな放浪の日々に、しばしば和夫を苦しめたのは

七月十九日の深夜の出来事だった。母と二人でいた防空壕が無差別絨毯爆撃を受けて崩れた。「早く、逃げろ！」という隣組の小父さんの怒号に壕の入口にいた和夫はとっさにすぐ側にいた鈴子の右手をぐいと引っ張って、無我夢中で防空壕から飛び出した。真っ暗な闇の中を一気に裏の雑木林まで逃げて、鈴子を置くと再び引き返した。だが時すでに遅く、二度目の直撃を受けた防空壕は崩れ落ちて中に入れなかった。母は崩れた防空壕の土砂で圧死したのだった。

どうしてもっと早く引き返して、母を救えなかったのか。繰り返し思うことは、自分をせめることばかりだった。時々、隣に鈴子がいるのも、暑い真夏の太陽が照りつけているのも忘れてしまったように、和夫は長く沈黙した。そんな時、鈴子の存在がしばしば救いだった。

ある時、黙りこくった和夫の耳元に小さな声が聞こえた。

「お兄ちゃん、見て……あそこに鳥が飛んでいる。」

かたわらの小さな声につれられて鈴子が指差す高い空を見上げると、真っ青な大空にいつの間にかどこからか飛んできた一羽の鳶が大きな翼を広げてのんびりと飛んでいき、くるりと回転すると東の空高く舞い上がった。その後姿を目で追いながら、和夫はやっと過去から現実に戻った。

すると遥か遠くに広がる地平線が目に入った。なんと美しい紺碧の海だろう。静けさがあたりを包み込み、あたかも戦争などなかったかのように真っ青な大海原が広がっている。

和夫の目はその吸い込まれるような深い青さと、穏やかな静けさに引き込まれた。この海はずうっと同じだ。何もかもが変ってしまったのに、この海だけは以前と何一つ変わらない。目を閉じると、再び父と母の姿が浮かんできた。貧しかったが二人とも穏やかで、愛が深かった。父と母はどこに行ったのだろう。人は死んだらどこに行くのだろう。人の魂はどうなるのか。再び父と母の顔が浮かんできた。

幼い時、父は和夫をよく成瀬の海に連れていってくれた。まだ五歳の頃、あの海の波打ち際で遊んだり、海岸でワカメを拾ったり、砂浜の岩の間で蟹や貝を探したり、時にこわがる自分を背中に乗せて泳ぎを教えてくれた。夜は小さな家の二つしかない布団の中で、和夫は父と同じ布団に寝た。父は腕の中に幼かった自分をよく抱きしめて可愛がってくれた。

郵便局員だった父は、自転車に乗って家々に郵便物を配達していた。まじめで無口な人だったが、時間があると子どもたちと遊んでくれて、夜は大抵本を読んでいた。

一方、手先が器用で、小さな棚を造ったり、竹トンボや竹馬を作って子供たちを喜ばした。特に海が好きで、夏休みになると山川町の高台から陸前浜街道を横切り、成瀬の海に向かった。子どもの足では浜まではかなり遠い道程に思えたが、時折、馬が引かれて歩いていき、道の真中に大きな馬の糞が落ちていたりした。その頃の日本は、中国や満州で戦争が始まっていたとはいえ、本土は比較的穏やかだった。

小学校一年の頃だったか、ある日和夫は父に連れられて蝉の合唱が賑やかな稲田山の森を通りぬけて成瀬の海に行ったことがあった。

父はその日、何かを考えているかのように道中ずっと沈黙していた。その日はいつもとちがって海岸に着くと浜辺には行かずに、初岬の崖の上に立って、ずっと沈黙して海を見つめていた。かなりたってから、突然尋ねた。

「和夫、あの海の向こうには何があるか知っているか？」

「知らない。」

「あの海の向こうのずっとずっと向こうには、アメリカという国があるんだ。」

「アメリカ、それなら学校で習ったことがあるよ。アメリカって悪い国？」

「そうじゃない。アメリカっていう国は日本よりもずっとずっとでかい、いい国だ。」

和夫は父の言葉にびっくりした。

これまで毎日のように学校では「アメリカやイギリスは鬼のような敵だ（鬼畜米英）」と教え込まれてきたからだった。けれども和夫は小学校に入ってから父と母が言うことが、時々、他の人々や学校で教えられることとだいぶ違っていることに少しづつ気づいていた。両親がアメリカを悪いとか敵とか言うのを聞いたことがなかった。それはどうしてなのか子供心に疑問に思うことが度々あった。しかしそれをあえて問い正さなかったのは、だれよりも父と母が好きで、悲しませたくなかったからだった。

それに幼い頃、両親に連れられて二、三度行った教会で、一度体の大きい外国人に会ったことがあった。その人は「先生」と呼ばれ、初めて出会った外国人に固まっていた和夫に向かって、その人は両腕を差し出して椅子に座った自分の膝を指差すと、「この膝は何のためにあるのかな」と尋ね、とまどっている和夫を両腕でさっと抱き上げると自分の膝の上に座らせて、いたずらっぽく微笑んだ。その時の温かく、優しい笑顔がずっと心の底に残っていた。

父とのもう一つの記憶は、ある時、父が広瀬の海に連れてきてくれた時、太平洋の海の潮流について教えてくれたことだった。

「和夫、この海はな、海面の色が変わるんだ。」

「どうして?」

「まだ学校で親潮とか黒潮について習ったことがないか。」

「うん、まだ……」

「そうか、いいか、潮の流れには冷たいのと暖かいのがある。周りの海水より水温の低い海流が親潮。周りの海水より水の温度が高い流れが黒潮。この二つの流れが進んだり後ろにさがったりしながら揉み合うところに帯状の筋が見られる。それが潮目と言って良い漁場で、ブリなど魚がよくとれる。今度、ここに来たらよく見てみろ。」

父との会話でよく覚えているのは、この二つだった。それから間もなく父は出征し、南方で戦死したことを母から聞いた。

一方、母親の思い出は、地味な銘仙（平織りの絹織物）の服を着て、髪の毛を襟元でくるりと丸め、割烹着（羽織って着るエプロンの一種。着物の上から着用できる）。姿で働いていた姿だった。朝早く起き、小さな台所の七輪の前に屈んで、食事を用意していた。父の出征、そして数年後の戦死の後も、子どもたちをひとりで育て、夜遅くまで働いていた。母の淑子は裁縫が得意で、近所の人から頼まれた縫い物を一手に引き受け、服やワイシャツ、時に着物まで縫った。その後、結婚の時親から貰った一番良い着物と帯数本を売ってミシンを手に入れると、防空頭巾や手提げ袋、ズタ袋、時にぞうきんを何枚も重ねて縫った手縫いの靴までも近所から頼まれれば何でも引き受け、家計をどうにか支えてきた。その姿は雛を抱えた親鳥のように強く、逞しく、暖かかった。和夫は自分より先に寝床に入る母の姿も、自分より遅く朝起きる母の姿を見たことがなかった。もう少し楽をしていたら、母は崩れ落ちた防空壕の中でかぶさった土砂を払いのけて、自力で這い出す体力があったのかも知れないのにと思った。町内には母の知り合いが沢山いたのに、七月十七日と一九日の深夜の攻撃で、親しくしていた両隣り四軒が全焼し、森川の小母さんや親切な小父さんも故郷に帰り、親しい人がいなくなってしまったことも不運だった。

昔のことを思い出しながら、和夫はそれまでの母の姿を考えてみた。祖父母とその近所に住んでいた叔母一家までが三月十日に本所深川一帯を襲った東京大空襲で亡くなった。少し後にその死が知らされた時も、母は決して子供たちの前で泣くことも、取り乱すこともなかった。数年前、父の戦死の知らせが届いた時も、黙って下を向いて座っていた。随分長い間、うつむいた肩が少し震えているように見えたが、決して泣き声を出さなかった。あれはもしかしたら、母は祈っていたのかもしれないと思いついたのは、ずっと後のことだった。ある夜ふけ、和夫がふと目を醒まして隣室を見ると、障子の開いた細い隙間から、うずくまって声を押し殺して泣いている母の姿を目撃した。母が自分たちの前で泣かないのは、子どもたちを不安にしたり、心配させまいとする親心ではないかと初めて気がついた。

よく考えると、それまでの母の人生は戦争という影で濃く塗られていた。幼い頃、第一次世界大戦があり、少女時代には関東大震災を経験したと話すのを一度聞いたことがあった。その後、父を戦争に送り、失い、自分も戦火で命を失った。両親の人生は、いやこの時代に生まれた多くの人々が、戦争のために愛する家族、仕事、命まで失い、不幸な人生を歩んできた。そう思うと、両親がほんとうに気の毒に思えた。何も悪いことをしなくても、戦争は真面目に生きる小さな家庭のささやかな幸わせすら奪ってしまう。こんなことを考えると目の前が暗くなった。戦争は恐ろしい夢よりひどい。二度と経験したくない。絶対に!!

ふと目を上げると、約十年前、父と共に見た太平洋があの時と同じような紺碧の地平線を再び広げていた。ゆったりとして広く深く、しかもどこまでも広がる大地のような海。その海の青さと静けさ。

だがその時、和夫の脳裏に沖合にずらりと並んだアメリカ軍の艦隊と真っ赤に燃えた火玉を放って火を吹く光景が突然浮かんだ。たった二か月前のことだった。あの夜は、見渡す限りの海は一面火の海で、真っ赤な炎が、次から次へと砕け散り、黒い煙が波の上を覆っていた。煙は陸地に向かって瞬間的に流れ、真夜中なのに昼間のように明るかった。今となっては全てのことが夢の中の出来事のようにしか思えなかった。

その時、和夫は自分のズボンのポケットをしきりに引っ張る小さな手に、ふと現実に戻された。目を転じると母が縫った丸い小さな襟がついた花柄のブラウスと、母の服を縫い直して作ったモンペをはいた鈴子のつぶらな瞳としきりに何かを訴えるような表情に気がついた。

「お兄ちゃん、お腹が空いた。」

妹の弱々しげな声がにわかに和夫を長い夢から目覚めさせるように現実に引き戻した。

そうだ、ここ数日、母の遺体の搬送、火葬という大役に身も心も没頭して、クタクタに疲れ、二人ともわずかなものしか口に入れていなかった。そのことに初めて気がついた。思い出せる食べ物とは、森川の小母さんが別れ際にくれた焼き芋とわずかな炒り豆。そして水筒に入れた少しの水と袋に入れた一握りの米だけだった。

そこでやっと和夫は、自分たちが兎山の農家を訪ねてきた本来の目的を思い出した。

「ごめん、鈴……。もう少しがんばろう。」

「うん」

和夫は顔に流れる汗を手拭で拭き、背中にずり落ちた麦わら帽子を取って鈴子の頭にかぶせた。

4 放浪の日々

阿武隈山脈は福島県から茨城県北部にかけて太平洋岸を南北に走る高原状の山地で、最高峰は約一二〇〇メートル近くある。この山脈は脈々と続くかのように見えて、太洋市から南に二駅いったところでいつの間にか姿を消してしまう。

戦時中、この山脈の山中も太平洋の沖合にズラリと並んだアメリカ軍の艦隊から放たれた艦砲射撃の砲弾の余波を受け、かなりの人々が死傷し、山の中には砲弾による穴があちこちにできていた。山に逃げた者の中には、そのまま山伝いに太田や太子方面の実家に逃げて帰って来ない者もいるという話を聞いた。

和夫と鈴子は松並木が続く陸前浜街道を半時間歩いて、やっと兎山の登り口までたどり着いた。突然、鈴子が石につまずいて、ヨロヨロと倒れた。

「お兄ちゃん、足が痛い、疲れた……もう歩けない。」

和夫は道端にしゃがみ込んで、鈴子を背におぶった。国民服を着て、足にゲートルを巻き、母の位牌が入った木の箱と小さな絵のカードが入ったブリキの筆箱。それに森川の小母さんに貰ったご主人の古い上衣、小母さんが自分のために編んで鈴子にくれたセーター等が入ったリュックサックと炒った豆の入った小袋と水筒を胸の前に回し、足をようやく動かして進んだが、和夫とて空腹のあまり今にも倒れんばかりだった。

鈴子はぐったりとした小さな顔を兄の汗臭い体にぴったりと押しつけ、目をつぶっていた。やっと足を進めながらも、和夫は久しぶりに背負った妹の体が、ひどく軽いことに気がついて驚いた。

記憶の中にある三歳の時の鈴子は、はち切れんばかりに太って、むっちりとした丸い顔と手と体と足をしていた。その頃は戦争中であるとは言え、まだ食糧供給の統制はさほど厳しくなく、母の母乳もそこそこに出たのでコロコロと太って、良く笑った。

今自分の背に乗る妹の体は、やせ細って、まるで幼女のように軽かった。和夫は急に自分の責任の重さを感じた。鈴子を絶対に栄養失調で死なせてはいけない。そう決心したものの、自分もひもじさの余り、体がふらふらしていた。育ち盛りの十五歳の最大の敵は、このところずっと激しいひもじさだった。

飢えというものが、これほど激しい敵であるとは。和夫はそれまでの人生でこれほど厳しい体験をしたことがなかった。

空腹を満たすために盗みを犯す。あるいは人を殺して物を盗る、奪う。そうした極限のところまで自分は絶対に堕ちない。その思いが心の底にあった。だが飢えとの戦いが日々激化する中で、それまで心の中にあった強い自信が少しづつ砕けていく弱さを感じていた。こんなことをしていたら、二人とも死んでしまうのではないか。そうした不安が日々深まりつつあった。

やがて二人は母親と以前何度か訪ねたことのある農家にたどり着いた。確か浅野さんとかいう名前だった。その家は比較的裕福な農家らしく、敷地が広く、大きな母屋と立ち木に囲まれ庭も堂々としていた。その周辺の家は屋根に穴があいていたり、爆風で木が折れた家も見かけたが、目指した家は全く無傷で、静かで、何事もなかったかのように平和にたたずんでいた。

暑い夏の終わりの午後の一時。国民学校一、二年らしい男の子が金木犀のそばで、ひとり石けりをしながら遊んでいた。その姿に和夫は一瞬今まで感じたことのない緊張感と共に妙な安堵を感じた。

この家には以前、母と何度か買い出しで訪ねたことがあった。三人でリュックサックを背負い、母の縫った服やもんぺや仕立て直した頼まれ物の着物を持参して、米と交換して貰ったことが数度あった。だが今日は、二人だけの初めての物々交換の日だった。

男の子は無心に遊んでいて、庭を囲む正木の生け垣の外に立って中をうかがう人影に気がつかない。

「拓！」家の奥から母親の呼ぶ声がした。男の子は石けりをやめて家の中に入り、しばらくすると片手に大きな白いにぎり飯を持って、かじりながら外に出て来た。どうやら昼飯は、おにぎりらしい。口を大きく開けて、いかにもおいしそうにパクつく少年。食べながらも一人遊びをするように、片手でケンケン飛びながら再び遊び始めた。

その姿を見て、和夫は思わず生け垣の側からそろりと庭先に進み出た。少年は突然の侵入者の出現に驚いて、後退りした。おにぎりを持った手を背中に隠すと、縁側に向って「おじいちゃん、おじいちゃん、早く来て！」とけたたましく叫んだ。

その声に閉まっていた縁側の障子が開くと、白髪頭の老人が顔を出した。

「どうした、拓……」

少年は無言で庭の侵入者を指差した。

「だれだ！　また物ごいか。」

老人は下駄を突っかけて庭に下りてくると、鈴子をおぶった和夫に近づいた。

「何の用だ？」声も表情も険しい。

和夫は自分が不審者に思われないように、急いで鈴子を背中からおろすと、リュックサックから森川のおばさんにもらったご主人の形見のカーキー色の上衣を取り出した。

「これを何か食べ物と交換してください。」

「ふぅ〜ん。そげんなもん、いらねえな。」

そう答えながら横を見ると、鈴子が泣いているのに気がついた。

「どうした、拓！　おまえ、いじめたのか。」

「う……うんん。」

「じゃあ、どうして泣いている。」

「ぼく、何もしていないよ、ただ……ただ……、おにぎりを捨てたら泣いたんだ。」

「捨てた！　どうしてそったらもったいないことさする？」

「どうしてって……」少年はもじもじした。

「おめえ、いじめたんだなぁ。わざと目の前で見せびらかして、目の前で捨てた。」

叱りながら老人は和夫と鈴子の顔をおやっという目で見た。

「あんたら、前に家に来たことがあったっけ?。」

「あります、何度か。」

「そうだ、母ちゃんと一緒に着物や帯を持って来て、米と交換したよな。それに縫い物も。」

「はい」

「今日は母ちゃんはどうした？」

「母さんは死にました。七月十九日の焼夷弾で。」

「父ちゃんは？」

「戦争に行って死にました。」

「そうか、大変だな。思い出した。おまえんところの母ちゃんは縫い物や繕い物が上手でよく世話になった。家の嫁は出来ねえんで大助かりだ。ところで家はどうなった？」

「焼けました。今バラック小屋に二人で住んでいます。」

「そうけえ」と男は呟くように言うと、孫に向かって命令した。

「おい、拓、母ちゃんに言って、にぎり飯を四つ握ってもらえ、それと米を二～三合袋に入れてこい。」

やがて少年はにぎり飯四つと米が入った小さな袋を持って家の中から出てきた。真白な大きなにぎり飯。それはまるで宝物のように思えた。この思いがけない贈り物が、ここ一か月飢えに苦しんだ二人の疲れ切った心と体に大きな励ましをもたらした。

「あ……ありがとうございます。」

「気いつけて行けよな。」

和夫は何度も礼を言ってその場を離れると、農家から見えない雑木林の傍らに腰をおろして、二人は同時ににぎり飯にかぶりついた。

「おいしいね、お兄ちゃん。」

鈴子がほほえんだ。口の周りに白い米粒がいっぱい付いている。

和夫は妹の久しぶりの笑顔に、涙がこぼれそうになった。ここでも母の親切が自分たちを助けてくれた。

おにぎりにかぶりついていた鈴子が突然むせた。「ゴホッ、ゴホッ。」

「おいおい、あんまりガッツクなよ、息が詰まるぞ。」

「お兄ちゃんだって、がっついている。」

「ゴホッ、ゴホッ。」

二人は互いに相手の背中を片手でさすり合いながら、久しぶりに目を合わせて笑った。

こんなにおいしい白いにぎり飯を食べたのは、何か月ぶりだったろうか。母親がいる頃は、すいとん、野菜の葉っぱを細く刻んだものを入れた雑炊、芋や南瓜、大根の代用食でも、食べ物があるだけでも有難かった。ところが今日はぎんしゃりのにぎり飯とは。焼けた市街地では食べ物が不足していたが、被害にあわなかった農家は、食べ物が豊かなのだ。母さんにこのおいしいにぎり飯を食べさせたかった。そう思いながらお握りの一つを食べ終わると、和夫は残りを紙に包んだ。

「あんまり一度に食べると、お腹をこわすよ。これは取っておこう。」

「うん、おいしかった。お母ちゃんがいたら一つあげたのに……。」

「そうだね。」

二人は同じ思いを抱いて、葉の茂った土手から立ち上がった。

歩きながら和夫はここ一か月、無我夢中で過ごしてきた日々を思った。炒った豆を食べ、水ばかり飲んで空腹をまぎらわて過ごしてきた。肋骨をさわると肉がだいぶ落ちて、ゴツゴツと感じた。今まで生き延びてきただけでも奇跡のように思えた。ここまでやってこられたのは周りの人の善意と両親が残してくれた善意のおかげだと思った。

この時和夫の抱いていた最大の気掛りは、自分が死んだら鈴子はひとりぼっちになって、どうやって生きるのだろうという心配だった。絶対に、どうしても自分は鈴子を守るために生き延びなければいけないという強い決心を心に固めていた。

その頃、和夫と鈴子がまず朝考えることは、今日はどこに行って食べ物を得ようかということだった。両隣の家は焼けて、数少ない顔見知りの姿も見えなかった。二人は母親と以前一緒に買い出しに出かけた近隣の町々、あるいは成瀬の海岸のあたりによく出かけた。

バラック小屋は雨露をしのぐ一時しのぎにはなったが、雨が多い季節になると雨漏りもひどく、さらに小屋の前の地面は焼夷弾の砲弾で深くえぐられて大きな溝となり、その溝がにわか池となった。かつては、小さいながら幸せな樫村家の跡地が泥の池となった光景を目にするのは辛かった。その光景から逃れるために和夫は鈴子を連れて、さまざまな場所を歩き回った。

自分を迎えてくれる帰る家のない者だけが知る深い悲しみ。時にその悲しみを背負って松川町の坂を下り、陸前浜街道を突っ切り、成瀬グラウンドに出た。戦時中、このグラウンドは軍馬の飼い葉として、グラウンドと土手の区別がつかない程、夏草が生い茂っていた。若い女学生たちが炎天下に汗と埃にまみれながら、草刈りをしたり、干し草を束ねながら懸命に働く光景を目にしたことがあった。グラウンドの前に道を隔てて建っていた太洋製作所の成瀬寮は爆撃を受けて焼け落ちていた。寮をぐるりと囲む木の生け垣の横を通り、角を右に折れ、稲田山の神社のある森の中を突っ切り海岸に向う道に出ると、幼い頃の父との楽しい思い出が鮮明に思い出された。

海辺での砂遊び、楽しい水泳ぎ。砂浜では穴を掘り、海草で穴を覆い、落し穴を作って遊んだり、拾った貝を集めて、さまざまな工作を作ったりした。

和夫と鈴子は思い出深いこの海と山を往復して過ごした。時ににわか雨に降られ、崖の坂道の横に掘られた戦時中の防空壕に雨宿りした。時に泊ることもあったが、夜の壕の中は、闇が塗り込められたように真っ暗で、鈴子は怖がった。仕方なくまたバラック小屋での生活が続いた。

そんなある日、バラック小屋の前で小さな事件が起きた。ある朝、二人が目を覚ますと小屋のすぐ前で、ほとんど裸に近い姿をした老人が死んでいた。誰かが連絡したらしく、ほどなく警察官が検死にやってきた。薄汚れたシャツとズボンを身につけた遺体を警官が動かそうとすると、シャツの懐からしなびたさつま芋がポロリと地面に落ちた。その場面を小屋の中から見ていた鈴子は思わず兄の体にすがりついた。

「兄ちゃん、こわい！」

恐らく家も家族も失った戦災犠牲者だろう。その時の場面がさながら自分たちの運命を暗示しているようで、和夫はやり切れなかった。絶対にああなりたくない。どんなに振り切っても、その老人の姿が目に焼きついて消えなくなった。

その日以来、鈴子は爆撃でえぐられた庭にできたにわか池を見る度に、和夫にしがみついた。

「お兄ちゃん、こわい、あの人がまだここにいて、死んでいるみたい。」

数日後、二人はついにバラック小屋から離れる決心をした。何処へ……。

5　差し伸べられた救いの手

その日からまもなく、灼熱の太陽が照り続いた真夏の季節に陰りが見え始めたある日の午後、和夫と鈴子は再び広瀬の浜辺にいた。

七月十九日の母の死から、すでに一か月以上が過ぎようとしていた。戦争が終わり、平和が来たとは言え、昭和二十年（一九四五）の食糧事情は戦中より厳しく、東京では米よこせ運動が大きく広がっていた。

ここ二、三週間、食べ物が手に入らず、二人とも飢えと戦っていた。バラック小屋を離れたため配給の少量の米、時に玄米さえ手に入らず、少しばかりの豆と壊れた水道の蛇口からチョロチョロ流れる水を貯めた飲料水、それに近頃は通りすがりの畑から小粒のトマトや菜っ葉、クワの実、生の大根や南瓜などを度々失敬してやっと生き延びていた。

和夫は心の中で極限の空腹を抱えた、こんな放浪生活がいつまで続けられるかを危ぶんでいた。空腹のために悪夢を見てうなされることもあったし、ひどくやせたためによれよれのズボンは垂れ下がったボロ切れのように見えた。鈴子の小っちゃな体は一回り小さくなったように思えた。さらに悪いことには、極度の栄養失調と、時に生の野菜を食べた消化不良から下痢をしたり、疲労と怠さを感じることがあった。このままだと二人とも栄養失調で倒れてしまう危険性があった。

和夫の脳裏には、半月前、バラック小屋の前で行き倒れのようにして死んだ哀れな老人の姿がたび浮かんだ。自分は死んでもいい。けれども鈴子だけはどうしても死なせるわけにはいかなかった。

その日の夕方、食物を探し回って疲れ果てて成瀬の浜辺に座った二人は、長い間ぼんやりと海を眺めていた。目の前にはゆったりした太平洋の海が波を寄せては返し、まるで鬼ごっこをしているように動き続けた。砂浜には白い小さな体をした水鳥が数羽群がっていた。生き生きとして浜辺でエサをついばむ海鳥の方が、自分たちよりもずっとましに思えた。

成瀬の海も、兎山の山も、阿武隈の山並みも、人間の世界がどんなに醜く争い、戦い、傷つこうともずっと変わらぬもののように落ち着いて、ゆったりしていた。

この世には、世の初めから終わりまで変わらないものってあるのだろうか。人間の歴史を見れば、戦いの連続だ。学校で学んだ歴史でも戦国時代は自分が生き延びるために、人間は他人や他国のものを平気で奪い、傷つけ、掠奪する。その行為の結果、王になり、支配者として人生を築いていく。歴史が好きだった和夫はぼんやりと昔習った歴史を考えているうちに、ふと「人はパンのみで生きるにはあらず……」という言葉が何の脈絡もなく脳裏に浮かんできた。たぶん父と母のどちらかがこんな言葉を教えてくれたような気がしたが、疲れ切った頭にそれに続く言葉は思い出せなかった。きっとあまりに食べ物のことばかり考えていたので、こんな言葉を思いついたのだろうか。不思議な言葉だ。

だが現実の人間には、やっぱり食べ物が一番人間に必要なものなのだろうか。

飢えた心にはそれ以上の思考は続かず、砂浜に座って立てた膝の上に頭を載せて、時が過ぎていった。どのくらい時間がたったのだろう。随分長い時間が経ったような気がした。

その時、いきなり頭上で声がした。

「おい、おまえら、そこでずっと何をしているんだ？」

驚いて声の主を見上げると、すぐ側に真黒に日焼けした男が立っていた。年は四十代後半か五十代。父親と同じくらいの背恰好だが、髪に白いものがチラホラ混じり、海の男のように引きしまった顔つきだが、とても人なつこい目をしていた。

和夫は何か文句をつけられたのかと思って急いで立ち上がった。

「えっ、何も……ただ海を見ていただけです。」

急に立ち上がったせいか、体が少しふらつくのを覚えた。

そんな和夫の様子に男は気がついたらしかった。

「おまえ、よく考え事をしているな。ここんところ毎日のようにその小いちゃいのを連れて浜に来て、ただ座ったままぼおーっとしているじゃねえか。もっと夏の盛りだったら、日射病で倒れてしまうぞ。」

「……」

「家はあんのか？」唐突な話し方のわりには、陽に焼けた逞しい顔には、和夫をどことなく安心させる暖かみと親しみがあった。

「家……家ですか、ありません。バラック小屋にいたけれど、色々とあって、今は防空壕跡とか色々なところに住んだりして……」

「母ちゃんか、父ちゃんは？」

「二人とも死にました。戦争で。」

「そうか。それじゃあ俺と同じだな。俺は戦地から帰ってきたばかりだ。南洋のね。そしたら家は焼けて無くなり、カミさんも娘たちも疎開先で死んじまっていた。だから今じゃあ独りぼっちだ。つまり、おまえさんたちと同じというわけだ。でもなあ、この浜の奥まったところに先月、急ごしらえのバラックを建てた。焼け跡からトタン板を捨ってきて、焼釘のよさそうなのを探して屋根を打ちつけただけの小屋だ。少し前まで小屋には同居人が二人いたが、そいつらはここでの生活にケリをつけて先月、故郷に帰って行った。どうだい。一緒に暮らさないか。」

和夫は見知らぬ男の突然の申し出に一瞬戸惑った。真黒に日焼けした見知らぬ男の正体が分らなかった。しかも戦地から少し前に帰って来たばかりだと言う。

「配給がなくて、どうやって暮らしているんですか。」

一人で生きていくだけでも難しい時代に、自分と妹までどうやって養っていけるのだろう。ふと警戒心を抱いた。

「贅沢言わなければ、なんとかなるさ。町に知り合いがいて、新聞配達や大工の仕事も結構ある。

これからは建設ラッシュの時代だから、仕事はもっと入ってくるさ。」

それを聞いて少し安心したが、鈴子のことが気になった。相手の男は和夫の心の中を察したかのように続けた。

「その小さい妹のことは心配すんな。浜の生活が疲れたら、時々、よく知っている医院の奥さんのところで休ませてもらうさ。安心しろ、大丈夫だ。ここには風呂もある。ごく最近、手に入れたばかりのドラム缶の風呂だ。それがいやなら、あっちの崖に行くと岩肌から清水が滴り落ちる場所がある。その真清水はあぶくま山系の山を水源として、なだらかな斜面の金山地区の地下を通って湧き出た水で、冷たくて、おいしいぞ。それを桶に入れて運んでくれれば、体も洗える。まあ体を洗うには勿体ないがな。鍋や釜を持っていってその真清水を飯炊きに使えば、おいしいご飯が炊けるぞ。」

男のおしゃべりを聞いていくうちに、和夫の警戒心は少しづつ薄れていった。耳を傾けているうちに、亡くなった父親が自分をよくこの浜辺に連れてきて遊ばしてくれた思い出が走馬灯のように浮かんできた。

この人なら信じてもいいかもしれない。それにここなら今よりももっと人間らしい、安定した生活を送れるかもしれない。着たきり雀の服もようやく洗えるし、シラミで痒い頭も黒く汚れた顔も岩から滴る真清水で洗えるし、それに何よりも人との触れ合いがある。その時、和夫の心を一番安心させたのは、親切で、暖かい男の存在そのものだった。

男は豪快のように見えても、細かい心配りがあり、粗野のように見えてもどこか素朴な暖か味があった。

和夫は決心した。もう二人だけで生きていくことには限界がきていた。これ以上、ひとりで頑張っていたら、鈴子を死なせてしまうかもしれない。それが何よりも恐かった。

「よろしくお願いします。樫村和夫です。」

和夫は頭を下げた。

「そうか。俺は森田五郎だ。仲良く過ごそう。そっちの小っちゃいのは？」

森田が和夫の背の影に半分身を隠すようにのぞいている鈴子に目を向けた。

「妹の鈴子です。七歳です。」

「そうか、俺にも六歳と十歳の娘がいた。仲良くやろう。よろしくな。」


その日の夜から、バラック小屋での生活が始まった。その夜、二人は森田が炊いてくれたドラム缶の温い風呂に入った。約二か月ぶりの風呂に生き返った思いがした。夜は大きな鉄釜に芋粥を作ってもてなしてくれた。

「海水を釜に入れて、少しの米と芋や南瓜をぶっ込むと、実においしい塩味の野菜料理ができる。あとはアカザというこの辺に生えている野草の葉をよく洗って、熱湯でさっと湯がいてから味噌をつけると、これもおいしい。ただの簡単料理だ。」

勧められて一口口にすると、ほかほかして塩味がとても効いておいしかった。

「わあ……おいしい、この南瓜！」と鈴子が喜ぶと「そうか、良かったな。でも今晩はほんの少しだけにしておけ。おまえらは、きっと長い間、すきっ腹だったろうから、急に一度に沢山食べると、腹が下るぞ。少しずつ食べて量を増やしていけ。」

「アッチチ……」よく煮えた南瓜をもう一切れ食べようとした鈴子が熱すぎて南瓜を口から落とした。その様子に五郎も和夫も鈴子も大笑いした。久しぶりの笑いだった。

寝る前に森田は二人に便所の在り処を教えてくれた。

「あ、そうだ。ここの便所は原っぱの脇のちょっとした広場に四方を茅で囲んだ掘っ建て小屋がある。残念なことに電灯はない。夜はたいまつと言って、松の根っこから取ったヒデというのを燃やして、それが明かりさ。夜はおまえが妹と一緒に行ってやれ。小さい子には真っ暗はおっかないだろうから。ついでに言っとくが、このバラック小屋は電気がないから、ローソク生活だ。紙でこより（注・細長く切った和紙を糸のように撚ったもの）を作って灯心にしている。そこに油を垂らして火をつければ、本が読めるくらい明るくなって、結構、快適だ。この生活も慣れればいいものさ。」

その夜、二人は海辺のバラック小屋で久しぶりにぐっすり眠った。すぐ近くで浜辺に打ち寄せる潮騒の音が聞こえていたが、それも子守歌のように、心地よい眠りについた。

翌朝、目を醒ますと太陽はもう高く昇っていた。早朝に浜辺の水汲みと新聞配達の仕事を終えた森田五郎が首に手拭いを巻き、大きな桶に海水を一杯にして運んできた。

「おまえらよく寝るな。おい、起きろ。お天道様はもうとっくに昇っているぞ。今日も快晴だ。おまえらにおいしい朝飯を作ってやったぞ。これを食べたら仕事だ。貧乏暇なし。おまえたちの仕事は朝食を食べたら、薪を拾いに行くことだ。その辺に背負い籠があるから海岸や岬やどこでもいい、そこら辺を歩いて木の枝でも漂流物でも何でもいい、燃えそうなものなら片っ端から拾ってこい。それが燃料だ。崖の上の方に行くと雑木林や原っぱがある。落ちている紙や新聞紙だって上等な燃料だ。その後はバケツを持って海辺でワカメや昆布、海草を見つけたら拾ってこい。浜の岩間にはよく探せば小さな蟹がいる。磯のところにはウニや磯巾着もいる。そいつらはみんなわしらの上等な食材だ。」

森田の言葉に和夫は父との楽しい思い出が甦った。あの頃は両親も若く、元気で、戦争の足音が近づいていたものの、ささやかな楽しみを過ごす余裕はあった。鈴子はまだ生まれたばかりで、母の背におぶわれていた。つつましい家庭だったが、そこには小さな幸せがあった。

その頃、両親に連れられて一、二度、町の街道に沿ったところにある大きな建物に行って、歌を歌ったり、お話を聞いた思い出があった。その建物の外側は昔の立派な建物のようにどっしりとして、よく考えれば昔の地主の家のようだったが、中に入ると大きな部屋の正面の壁には木の十字架が掛っていた。ちょうどクリスマスの季節で、子どものクラスを担当してくれた青年から小さなカードを貰ったのがうれしかった。カードに描かれた絵は外国の絵で、とても珍しかった。それで十年も経った今でも、その時貰った小さなカードだけはブリキの筆箱の中にしまってリュックサックに詰めて持ち歩き、時々取り出して見ることがあった。それはこのカードこそ両親との思い出を結ぶ唯一の遺品のように思えたからだった。

カードのサイズは手のひらにすっぽり入るくらいの大きさで、そこには砂漠のような土地をラクダに乗った三人の旅人が夜空に輝く大きな星に導かれて旅をする絵が描かれていた。そしてカードの右下に小さく「ベツレヘムの星」と記された文字があった。

「ベツレヘムの星」って何だろう？　和夫はこの言葉を読む度に、ふしぎな思いに駆られた。その意味を聞きそびれているうちに父は出征し、死んでしまった。しかし、森田五郎と生活を共にするうちに、幼き日のこの楽しい思い出と疑問は、度々和夫の心に走馬灯のように浮かんできた。

森田との生活は荒っぽいが、一方、心慰めるものがあった。聞けば出征前、森田には鉱山病院の見習い看護婦として働いていた妻との間に、六歳と十歳の娘がいたという。太洋市に向けた米軍の空襲が激化するにつれて、奥さんは二人の娘をつれて川尻の奥の親戚の家に疎開した。ところがその山奥の疎開地で伝染病が流行り、池の水を飲んだ三人はチフスにかかって死んでしまったと村人から聞かされたと、ある夜話してくれた。

「激しい戦場にいても死なないで帰還する者もいるし、安全と思えた疎開先で伝染病にかかってあっけなく死ぬとは、皮肉な運命さ。それでも生きろってことかな……。」

五郎はぽつりと語った。

五郎の深い悲しみがそこから和夫に伝わってきた。だからこそ五郎は失った家族の代わりに、自分たちを引き取って世話してくれているのだと思うと、感謝で心がいっぱいになった。

次の日の午後、五郎は二人を市役所の焼け跡に連れて行った。長い行列を見て「何の行列ですか」と尋ねると、森田は「これでも国民食堂だ」と答えて、急ごしらえの小屋の前に出来た行列に並んだ。

「みんな空きっ腹を抱えて並んでいるのさ。やけに長い行列だが、たまにはおまえたちにご馳走しようと思ってさ。」

一時間以上待たされてやっと番がきた。

「どんぶり一杯の雑炊三つ！」五郎が叫んだ。

「あいよ。」

長時間待ってありついた雑炊は、汁がやけにたっぷりと入っていて米が泳いでいるような代物だったが、周囲の人々は立ったまま夢中で

どんぶりを平らげていた。

和夫は森田の好意を身に滲みて感じた。これだって大変な散財にちがいない。この恩に報いなければ。

五郎は昼間、市街地のさまざまな建設現場に大工仕事に出かけた。街中が復興に向けて全力を注ぎ、至るところで建設の槌音が聞こえていた。

五郎が仕事に出掛けている間、和夫と鈴子は薪拾いや五郎が教えてくれた食用になる野草を探して、田んぼや畑や林を歩き回った。今まで野草については何も知識がなかった。お浸しにして食べる甘草(注、マメ科の多年草、アマクサとも言い、乾燥させて咳の発作を抑えたり、鎮痛や解毒などの薬用、または甘味料とする)、ぜんまい、のびる(ユリ科の多年草)、はこべ、ニラ等。食べられるものは何でも採ってきた。それらをお浸しにしたり、刻んで雑炊に入れたり、小麦粉に混ぜて薄焼きを作ったりした。その他に赤じその実をしごいて塩漬けや佃煮にし、さつまいもの蔓を切って干しかんぴょうの代わりに雑炊に入れたりした。一か月もたたないうちに、和夫の料理の腕はかなり上達した。それらはみんな五郎が教えてくれたお陰だった。

和夫がさらに驚いたことは、五郎がさらに色々な物知りだったことだった。彼には南洋のジャングルの戦地で生き抜いてきた逞しさとさまざまな知恵があった。

「ジャングルで敵に追われ、食うや食わずの生活に比べれば、どこもかしこも壊れて一からやり直しの生活でも、敵からズドンとやられる心配も毒蛇に咬まれる恐れもない今の生活の方が、ずっとましさ。それにおまえらがいるしな。」

またこんなことも言った。

「今のこの時代に一番楽なのは、農家かなあ。爆弾にやられなくて、家族が元気で、土地さえあれば、畑を開墾して種を蒔き、米、麦、豆、さつま、野菜を育てて生産すれば、どうにか生きていける。だがな、今はにわか百姓が増えて空地を利用して採れる野菜量が増えたが、一方では、働かないで食べようとする畑泥棒も増えた。農家の畑だけでなく、わずかな家庭菜園まで被害を受け、おまけに野荒し対策にゆっくり寝ることも出来ない。そんな世の中になってきた。」

その話を聞いていた和夫は心の中でギクッとした。五郎に助けられるまで、自分たち二人が何度か畑に実った野菜を無断で失敬してきたことを思い出したからだった。


またたく間に、和夫と鈴子は海辺の生活に馴染んでいった。衣類も生活に必要な最低の必需品はほとんど森田がどこからか調達してきたもので、一見欠陥品か、あるいはがらくたの寄せ集めのように見えたが、芋粥を煮る古い釜もあり、七輪もあり、バラック小屋を照らすロウソクや時にこよりの灯りがあり、何よりも幸せだったことは、五郎との良い交わりがあったことだった。

五郎が新聞配達や大工仕事に出掛ける間、和夫の薪拾い、潮汲み、ワカメ拾い、簡単な夕食作りの傍らに、いつも鈴子の姿があった。

たった一つ、和夫を悩ませたことは、薪拾いや野草摘みの道すがら、かつての昔の中学時代の級友にどこかで出くわす心配だった。

ある日の夕方、兎山に薪拾いに出掛けて、午後五時頃、街道を横切るところで、かつて同じ中学校のクラスメートだった友人の姿を遠くから見掛けた。ボロの古着を着て、破れかけた麦わら帽子を被り、拾ったたき木や、古紙を入れた籠を背負った和夫は動揺した。こんな惨めな姿を黒の詰め襟の制服を着ている学校帰りらしいかつての同級生に絶対に見られたくなかった。慌てて横道に入ると、古びた麦わら帽子をぐいと目深く被り、傍らの鈴子の手を掴んでそそくさと帰り道とは反対の方向に歩き出した。

「お兄ちゃん、どうしたの？　道がちが……」言いかけた鈴子の口を手で塞ぎ、ぐいと手を引っ張った。兄のいつになく強引な行動に、傷ついた表情の鈴子の視線が自分に注がれているのを感じながらも足を早めた。

幸いなことに、その同級生は変わり果てた昔のライバルの存在に気がつかずに去っていった。

和夫はこの辛い体験を森田にも鈴子にも語らなかった。本当は学校に通いたい。沢山学びたい、燃えるような学究心を心の底深くに潜めていた。だが今は、こうして生かされていることだけでも感謝しなくては。そう思ってじっと我慢した。

6 海辺の生活

太洋市の海岸線は北は小貝が浜から、南は久慈川の河口まで約二十四キロに広がっていた。その海岸線にはいくつかの小規模な岬があり、岬と岬の間は細長い砂浜でつながり、昔は沢山の海水浴客で夏は賑わっていた。

戦争が終わったばかりの昭和二十年（一九四五）の夏には、この浜には色々な人々が住んでいた。

ある朝、鈴子は早朝、馬車で海水を運ぶ人たちを見て五郎に尋ねた。

「あの人たち、どうして海の水を運んでいるの？」

「ああ、あれか。あっちの浜辺には塩炊き村というのがあるのさ。海水はタダだろう。そのタダを元に海水を一日中煮詰めて塩を作っているんだ。」

「へえっ……」

「今度、暇な時、おまえたち二人をそこに案内してやるよ。実を言うとな、俺も南方から帰って来たばかりの時、家も家族も無くしたことを知らされた。住む場所がないからこの塩炊き村に一週間泊めてもらった。そこで何度か海水くみを手伝った。初めはとってもも簡単だとみくびっていたが、とんでもねえ。たいへんな仕事だ。初めは見よう見まねで天秤を担いで、海水を汲んだ。易しそうだが慣れるまでさんざん苦労した。潮の汲み方がまずいと桶ごと引き込まれ、波に何度もさらわれ、転げて、海水を飲んだ。何しろこの成瀬の潮流は、男波と言って四方から波が打ち寄せてくる。いわば荒波だ。遠くから見れば、穏やかで、ゆったりした海に見えるが、これはしとやかな美女がジャジャ馬だったと同じさ。困ったことは俺がカナヅチだってことさ。何度か溺れかかって、ようやく俺には海よりも陸の仕事が向いていると分かった。それで焼けたトタンや色々な板を探してきて、バラック小屋を建て、大工の仕事をすることにした。家のない奴を二人、泊めてやった。ちょうどその二人が故郷に帰って寂しくなった時、おまえらに会った。いいタイミングだったよ。」

それから数日後、森田は仕事が途切れた間に、和夫と鈴子を塩炊き村に案内してくれた。

浜辺をずっと歩いていくと、今まで足を運んだことのない岬の奥の崖下に、間に合わせに建てたバラック小屋が幾つも建て込んで連立していた。ギッシリと建ち並んだバラック小屋からは湯煙が、そして林立する煙突からは薪を焚く煙が立ち上り、さながらそこは盛大な工業地帯のように見えた。和夫と鈴子はその見慣れぬ光景に目を丸くした。

「お兄ちゃん、ここは何の会社？」鈴子が尋ねた。

「ここで塩を作っているんだよ。」

「へえ」

「今、塩は高く売れるんだ。どうだ。すごいだろう。まあ、ここを太洋市番外地と呼ぶ人もいるが、要するに戦争で居場所を失った人たちが集まって出来た吹きだまりとでも呼ぼうか、とにかく、敗け戦で追放された人、職を追われた者、海外からの引揚げ者、勿論、太洋市出身者もいるけれど外から流れてきた人もいる。それに海軍中将や学者さま、大学教授だっているそうだ。ただし肩書は元何々だけどな。その他、復員してきた元兵隊、工員、なんとかの統制で店を開けられない親父、定職のない奴など、つまるところ何でもありの、人々が集まって溜まっている場所さ。」と森田は赤銅色の顔を緩めてニヤリと笑った。

和夫と鈴子は初めて聞く話にただ驚いて、林立するバラック小屋と煙突から立ち上る湯煙を黙って見上げた。視線を浜辺に転じると、強い残暑の日差しの中に、裸にふんどしを締めただけの男たちの姿が、陽炎のように動いて見えた。

「塩炊き村って他にもあるんですか？」和夫はふと思いついて尋ねた。

「うん、あるよ。この北関東の太平洋側でも、久慈浜、水木、河原子、滑川、小木津、川尻って海岸線に沿ってずうっとある。何しろ何もかも壊れて、滅茶苦茶になってしまった世界で塩作りは何と言っても元手がかからない。海から水を汲んできて、煮るだけで儲かる仕事だ。そして塩を売った金で米を買い、海水で粥を煮る。一升五合ぐらいの大釜に米と海水を入れて煮ると、塩味のおいしい粥が出来る。そこにさつま芋を入れると芋粥、南瓜に砂糖を入れて煮れば、これまた上等だ。配給の大豆にバケツ一杯の砂糖を入れると豆ご飯。」

「えっ、バケツ一杯の砂糖!? そんなに!」和夫と鈴子は二人とも目を丸くした。

このところ甘い物なんて二人とも口にしたことがなかった。

「そんなに驚くなよ。そのうちおいしい豆ご飯を食べさせてやるから。期待してろ。配給の小麦粉を水でこねてちぎった水団を麺にした海宝麺という料理があるが、コイツはとてもマズイ!」と五郎が鼻をつまんだので、和夫と鈴子はその仕草がおかしくて声を上げて笑った。

夜になると二人は仕事から帰ってきた五郎が語る話を聞くのが楽しみになった。

「ここの塩炊き村は、海水を大釜で一晩中煮て製塩する原始的なもんだが、他に行けば、例えば隣の海岸ではもっと本格的な製塩所もあるんだぞ。」

「へえっ、どんなの?」

「俺も詳しいことはあまり知らねえが、なんとか式製塩法とか言って立派な設備があるってえ話だ。この浜はもっぱら原始的だがなあ。塩ってえのは、日本人の基本的な調味料の一つだから、それだけ貴重さ。塩さえあれば物々交換で生きていける。だがなあ、この仕事の最大の問題はここがいつまで続くかって……そこんところが怪しいんだよな。」

最後は呟くように五郎は言った。

こうして浜辺の生活は瞬く間に過ぎていき、灼熱の輝きを放っていた真夏の太陽がいつの間にか陰り始めた。

早朝と夕方、「カナカナ」とひぐらしが高い声で鳴き始め、海岸に土用波が打ち寄せると、浜辺から人影が消えた。空は無気味な暗雲で覆われ、高いうねりを伴って急接近しながら低い海鳴りを響かせた。ゴウという音と共に激しい暴風雨が吹きつけてきた。台風到来なのだ。

寄せ集めの材木で建てたバラック小屋は、かなりの被害を受けた。吹き飛ばされた屋根、入口に吊したむしろも、たちまち姿を消した。一番貴重な重たい鉄釜はどうやら守られた。

「お兄ちゃん、こわい、小屋が壊れちゃう。」

一晩中続く暴風雨と海鳴りの無気味な唸りと地響きに、鈴子は脅えて和夫にしがみついた。

「大丈夫だ。嵐はすぐ通り抜けるから、頭からカッパを被って我慢しろ。明日の朝には雨が止んで、カラリと晴れているさ。なあに屋根だってすぐ修理できる、今晩だけの辛抱さ。」

五郎はそう言うと、どこからか前もって調達してきた雨合羽を二人に渡し、自分は両腕を組んで動じなかった。

「なあに、こんなことは南洋のジャングルではしょっちゅうさ。スコールって言うんだ。ドタバタしたって、どうなるってことはない。こういう時は腹をくくって嵐が通り過ぎるのを待つだけだ。」

和夫は泰然としている五郎の腹のすわった態度に驚きと、ある種の尊敬すら感じた。地獄を通ってきた人は、ぬくぬくと生きてきた人とは違う。父とどことなく似た所があると久しぶりに父を思い出した。

台風一過。

五郎が予告したように翌日はぬけるような青空で、太平洋の大海原もあたかも何もなかったように穏やかで、ゆったりと横たわっていた。

秋が来ていた。町の方に行くと戦禍を逃れて咲いたダリヤの花が強風で道端になぎ倒されていたが、大地はしっとりとして、空気も爽やかだった。

その日から和夫は以前より熱心に薪拾いと食べられる野草や木の実を集め始めた。大きな背負い籠をかついで、あちこちを歩いた。初めは海辺に打ち上げられた木の根や木片を片っ端から拾ったが、それらは海水をたっぷり吸い込んでかなり重たかった。その後は、遠い兎山の高台まで足を伸ばした。自分たちを無条件に受け入れて住まわせてくれる森田五郎へのせめてものお礼のつもりだった。

秋の夜のとばりは早く訪れ、四時を過ぎると足元は暗く、慣れない夜道で誤って足を踏み外して崖からころげ落ちたこともあった。

そんなある夜、暗くなって帰ると、バラック小屋の前にしょんぼりと立って自分の帰宅を待つ鈴子の侘しげな姿を見て、はっとした。そうだ、ここ一、二週間、仕事に熱中する余り、鈴子を思いやる心を忘れていた。

「鈴子、あしたは兄ちゃんと一緒に山草を探しに行くか。」

そう声を掛けると、しょんぼりした鈴子のやせた顔が一瞬光をともしたようにぱっと輝いた。

翌朝は肌寒いがよく晴れていた。鈴子は母が縫った花柄のブラウスの上に、森川の小母さんが自分のために編んで、別れの時くれた草色のセーターを着ていた。

秋はもう盛りを迎えて、真っ赤に燃える紅葉や黄金の衣裳をまとった銀杏の大木が二人を迎えた。久しぶりに兎山の高台に登った和夫と鈴子は背中にそれぞれ背負い籠を背負い、小枝や枯葉を沢山集めた。

「兄ちゃん、まるで絨毯のようにきれいだね。」

鈴子は久し振りの外出に解放されたように生き生きと振舞った。足元に敷き詰められた深紅や黄金色の落ち葉を両手ですくっては、何度も何度も空中に散らした。その無邪気な姿に、和夫は幼い日の思い出を重ねた。穏やかな父と母の顔が瞼に浮かんだ。
「帰りに水道所に寄って行こうか」と誘うと、鈴子は少し頭をかしげて「水道所？」と聞き返し、満面の笑顔を浮かべた。それからいつもとてもうれしい時にするように両手を広げて、ぐる

ぐるとあたりを駆け回った。

二人は兎山の裏道をおり、国道を横切り、両側を社宅に囲まれた坂を下り、やがて広瀬グラウンドに着いた。この左側の社宅の右側の奥に水道所があった。和夫は尋常小学校の頃、何かの集りで知り合いになった同じ年頃の少年と仲良くなり、誘われて何度かこの水道所に遊びに来たことがあった。それは多分、母の知り合いの息子で、意気投合したからで、あの空襲以来、消息も知らなかった。

この水道所はまるで隠れ場のように平和な水源郷のように思えた。一方を杉林がみごとにしげった高い崖に囲まれ、芝生に覆われた水道所は薄水色の水を満々とたたえ、広い敷地は伸びた雑草で覆われていたが、ところどころに伸びた白いススキの穂先が銀色に輝き、風にそっと揺れていた。社宅と成瀬寮の間にある道を進んで、木の柵の横からすり抜けるようにして入っていくと、入口のあたりの芝生がえぐられたように赤茶けた土地を見せていた。「焼夷弾がこの平和な水源郷を襲ったのだ」と和夫はとっさに思ったが、口には出さなかった。

「わあ！　きれい!!」

鈴子が崖下に高くそびえる銀杏の木に向かって駆け出し、木の下を埋め尽くした黄金色の落ち葉を拾い始めた。沈黙と平和……。和夫は青い水をたたえた水道所の澄んだ水と広々とした空間、そして晩秋の空を見上げた。イワシの大漁の前兆を予告し、イワシの群れのように見えるところからイワシ雲と名づけられたうろこ雲が、空いっぱいに広がっていた。和夫は芝生の上に寝ころがって空を見上げた。

本当なら学校に行きたい。この数か月遅れた学びを取り戻したい。片手を枕に草の上に寝ころんでじっと空を見上げているうちに、しばらく心の底に押し込められていた願望がいきなり吹き出した。みんなは今頃学校でどうしているのだろう。風の便りでは、国民学校中等科のとき受け持ちだった田口先生は、爆弾にやられて亡くなったと聞いた。今の自分には、これ以上、森田さんに何かを願うことはできない。ぼくたち二人だけでも、一緒に住まわせてくれる人なんて、他に誰もいない。森田さんに出会わなければ、今頃、二人とも飢え死にしていたかも……。何もかも変わってしまった。世界も人も……。でも時代や国や人種を越えて、いつまでも変わらないものってあるのだろうか……。そんなことをぼんやりと考えていると、突然、鈴子の無邪気な声が響いた。

「お兄ちゃん、お兄ちゃん、見て！　こんなに沢山、真っ赤な葉っぱと金色の葉が集まったよ。こんなに美しい木や葉をだれが造っているの？」

「うん、分らないけど、きっと神様だね。」

草地から立ち上がり、背負い籠をかついだ和夫の顔には、複雑な思いが混じっていた。

7 焼け野原の東京で

十一月に入った。

季節は日毎に厳しくなり、空っ風と山から吹きおろす風が、戦火で家や居場所を失った多くの人々をさらに苦しめた。

今まで心地よく感じられた海風も招かれざる客となり、鈴子の手はあかぎれや霜焼けで痛々しかった。日没時間が早くなり、夕方四時半を過ぎると夜の帳は早々に降り、海辺は真っ暗だった。早朝の海水汲みや薪や小枝、枯枝拾いも、わかめ拾いも、七歳の鈴子には辛い仕事となった。

「お兄ちゃん、もう薪もなかなか見つからないね。」

鈴子は赤く腫れた両手が痛痒いのか、しきりに擦っていた。そんな妹の姿を見るにつけ、和夫は兄としての自分の無力さをいやというほど感じていた。自分だけなら、ずっとここで過ごしてもいい。なんとか生きていける。だが七歳の少女にはきびしすぎる。すぐ近くに小学校があったが、その小学校には通わせられない。だが以前通っていた学校は焼失してしまった。それに通学に必要な最低限の学用品さえ用意できない。それどころか、この浜辺のバラック小屋には、鈴子を喜ばせるもの、慰めるもの、ほっとさせるものは何一つなく、友だちさえひとりもいない。

浜辺は漁師や塩炊き村の男たち、バラック小屋の住人の一時しのぎの仮の宿、殺風景な荒くれ男たちの世界だった。一人ひとりが、敗戦というどん底の世界でやっと生きていた。時に協力し、助け合いもあったが、一方では酒を飲んだ末のケンカ、怒鳴り合い、争いも生じた。

「しょうがねえよ。今は混乱の真っただ中にいるんだから。戦争で家族を、家を、職場を、健康を奪われて、最低のところからの立ち上がる時期なんだ。命があるだけでも、めっけもんと思わなければ。だが……こったら生活がそんなに長く続くとは思えねえなあ。」

現実主義者の森田五郎は、どうやら浜の生活の行く末を冷静に見据えていた。そんなある日、こんなことも言った。

「どうも最近は、浜で集めた薪を使うと金属性の鍋釜の痛みが激しい。肝心の釜が壊れたら、一貫の終わりだ。そんで浜の年取った漁師にどうした理由かを聞いてみた。すると爺さんはこう言うのさ。『わしらは塩を含んだ海からあがった薪など誰も使わねど』とね。『そったことしたら塩が釜を腐蝕するんだな。だから海水から集めた薪は、籠に入れて水に浸し、さらに庭に広げて雨に打たせ、十分塩ぬきして干してから使え』と教えてくれた。だが、そんじゃあ、手間がかかりすぎる。これからは薪は山に拾いに行くしかねえなあ……と言うわけで、わが社の事業も閉店まじかというわけか。」

それから間もないある日の夜、森田五郎は突然、こう宣言した。

「明日から大工をやめて、塩売りを手伝うことにした。塩を売った金で、米を買ってくる。ここんところ大工仕事もうまくいかない。塩炊き村では、雨で塩田が使えなかったり、背負子（注・背中に塩を入れた荷を担いで売り歩く人）を背おった売り子が来ない。折角、苦労して造った塩が溜まってしまうと米も買えない。だから塩売りを手伝ってくれと頼まれた。今は都会でも山奥でも皆、塩を欲しがっている。塩を一升か二升リュックサックに詰め、両手の鞄にも詰め込むんだ。」

「どこに売りに行くんですか？」

「行き先は、塩のない山間地方だ。他は栃木、福島、東京。いいか、一番の難関は太洋、太賀、水沢駅で捕まらないようにすることだ。汽車に乗り込めば、闇屋の仲間がどの駅で取り締まりがあるかを教えてくれる。ツーカーでな。だから滅ったに捕まらない。安心しろ。」

和夫は森田のその言葉を聞いて、内心ギョッとした。塩を売るって、もしかして、これは法律違反の仕事なのか。許可されていないことは、お父さんだったら果してこの仕事を引き受けただろうか。

心の中にもくもくと沸き上がってきた黒い疑惑の雲を抑えながら、和夫は五郎の命令に従った。ここを出たら一体どこに行って、どう鈴子を守っていけるか全く自信がなかった。生きるためなら、闇商売でも何でもして生きていかなければ……。良心との葛藤を心の隅に押し込めて、和夫は五郎から渡された売り物の製塩を背中のリュックサックと両手の鞄一杯詰めると兎山に向かった。

浜から稲田山の森を抜け、成瀬グラウンドの横を通り、両側を太洋製作所の従業員たちの社宅がぽつぽつと建ち始めた坂道を登り、陸前浜街道を横切り、兎山の裏道を通って、かつて鈴子と一緒に来たことのある農家に向かった。

今日は以前よりも足取りが重く、心はそれ以上に重たい感じだ。果して塩を買ってくれる人がいるだろうか。他人に憐みを乞うような思いは、二度としたくなかった。だが売らなければ帰れない。なんとしても一軒でも売らなければ。


冬の午後の陽光は、あっという間に没していく。何軒か家の側まで行ったが、玄関の戸を開けて入って行き、「塩はいかがですか。買ってください」という勇気は出なかった。背中のリュックの荷物と両手に下げた塩をぎっしり詰め込んだ鞄を持つ手がきつくなった。気を揉みながら歩き進んで、焦り始めた。今日は初めてだから帰ろうか。駄目だ。このままでは帰れない。心の葛藤と戦いながら歩き進むうちに、ふと自分が見覚えのある家の庭に来ていることに気づいた。

数か月前、鈴子を連れて森川の小母さんがくれたご主人の上衣と引き換えに食べ物を貰いに来た農家だった。どうしよう。行けばまた助けてもらえるだろうか。正木（注・ニシキギ科の常緑低木）の生け垣の側に立って、和夫は思案した。

緊張して固くなった体に背中の荷の重みが一段と辛く感じ、リュックサックからは塩の「苦汁」（注・海水から食塩を晶生させたあとの溶液）が垂れるのを背に感じた。この数時間、テクテクと一軒一軒に声を掛けて歩き回った。寒さのせいか、どこの家も戸を堅く閉ざしたまま、応答すらなかった。留守なのかあるいは疎開したのか、病気なのか。いずれにしろ、もう拒絶されるのは限界だった。まるで盗人に対するような疑いの目を向けられたこともあった。もうこれ以上拒絶されたら自信さえ失ってしまうような屈辱感を味わっていた。帰ろうか。それとも、もう一度、最後に勇気を振りしぼって売り込もうか。ためらいながら最後はもうどうでもよくなって玄関に近づくと、ガラッと戸を開いて「ごめんください」と声をかけていた。

何の応答もない。しばらく待って立ち去りかけたその時、部屋の奥から見覚えのある白髪まじりの老人が顔を出した。あの人だ。和夫は勇気を得て「あのう……塩を売りに来ました。塩はいかがですか？」

「何か用かね。物売りならお断りだよ。」老人は耳が遠いらしく片手を耳のそばに立て、初めて和夫の顔を見ると驚いた様子で、

「あれ、前にどっかで見た顔だな」と呟いた。

「はい、数か月前、妹と来て、服と交換してお米とお握りをもらいました。あの時はありがとうございました。」

「おにぎり……ああ、思い出した。あの時、一緒に来たちっちゃい女の子はどうした。元気か？」

「はい元気です。今日は留守番しています。」

老人は和夫の顔をしげしげ見た。

「今日はどっから来た？」

「成瀬の浜からです。」

「そうか、ずいぶん痩せたなあ、苦労しているんじゃあねえか。今日は嫁さんと坊主は田舎に行っている。わし、ひとりで留守番で丁度良かった。塩買ってやるよ。」

「えっ、本当ですか？」

「いい所に来たよ。嫁がいればうるさいんでね。塩なら親戚も喜ぶ。十五キロ買って分けてやる。帰り道、気をつけてな。山道は真っ暗だから。」

和夫は老人の親切に身も心も暖まる思いで、農家を後にした。軽くなった荷と心で、山をくだった。


その夜、浜辺のバラック小屋に帰ると、いつも自分の帰宅を待ちわびて喜んで飛びついてくる鈴子の姿が見えなかった。「鈴子は？」と聞くと、いつもより早く帰っていた五郎が「なんか具合が悪いらしくて今日はほとんど飯を食べないんだ。さつまいもを塩水で煮た芋粥をあげたんだが、手もつけない。それで家のかみさんの昔の知り合いだった看護婦さんのところに、二〜三日面倒を見てくれるように頼んできた。」

和夫は五郎の報告にドキッとした。そう言えば、ここ数日、霜焼けとあかぎれの手を腫らして、痛痒いのか血が滲んだ指をしきりにこすっていた。もう少しよく話を聞いてやればよかったと思った。

鈴子は絵を描くのがとても好きで上手だった。放浪の旅の中でリュックサックに入れた国語の教科書を読んだり、紙の切れ端に漢字やひらがなの字を練習したり、好きな絵を描いて遊んでいた。その姿を見る度に和夫の心は痛んだ。鈴子だって学校に行きたいんだ。

八月の敗戦の一か月前から、国民学校の授業はほとんど休校になっていた。和夫自身も燃えるような向学心を抱いていたのに学徒動員で工場に働きに行かされ、今も学びの場からほど遠い所にいた。薪拾いや塩売りに出かけた途中、制服を着た中高生の姿を見掛けると顔を合わせないようにどんなに苦労したことか。自分が以前とは全く異なった世界に置かれた悔しさが身に滲みた。

だがどんなにどん底に生きても、法律を破ることはしまいとひそかに決心したものの、塩売りがある意味で闇商売ではないかと疑う気持ちが心の底で疼き始めていた。

でもどうしたら正しく生きていけるのか。森田五郎という人に救われて、今ここで生きている。ここを出たら、鈴子とまた放浪生活を続けなければならない。せめて誰か親戚か知り合いが近くにいればいいのに、住所も焼けてしまって分からない。母親のお姉さんが東京にいることは聞いていたが、その叔母さん一家も、祖父母も昭和二十年（一九四五）三月十五日の東京大空襲で死んでしまったと聞いていた。父方の親戚とも父の戦死以来連絡が途絶えていた。父の出身地は北海道の常呂町と遠方だったから、会いに行くのには難しすぎたのだ。

その夜、バラック小屋の屋根の下でいつもの芋粥を食べながら、森田は和夫に思いがけない仕事を持ちかけてきた。

「東京に俺の知り合いがいる。小中学校が同級で、そいつはここがよくて（と頭を指し）戦後のどさくさにまぎれて新宿のあたりで商売を始めたという。そいつが塩を欲しがっている。これから定期的に塩を運んでくれと頼まれた。こいつの知り合いには食堂を始めた奴もいる。こいつも塩を欲しがっている。この二人が俺に急いで塩を四十キロ運んでくれと頼んできた。それで俺とおまえで二十キロづつ運んでいくことにした。よろしく頼むよ。今汽車は猛烈に混んでいる。買い出し客でどの列車も超満員だ。どうにか切符は手に入れた。明日の朝早く、午前三時に出発する。寝坊すんなよ。」

翌朝午前三時に和夫は五郎に叩き起こされた。そしてそれぞれ十五キロの製塩を入れたリュックサックを背負い、片手に五キロの塩を入れた鞄を下げて浜を出発した。街灯もない駅までの道はまっ暗で、静まり返っていた。

和夫は鈴子のことが気掛りだった。急に具合が悪くなって、知らない家で過ごしているなんて、どんなに心細いだろう。絶対に今晩中に帰って来て、明日は必ず預けられた病院に見舞いに行かなければ。

急な早朝の出発で、二人は朝飯抜きで出発した。昨夜はいつもの芋粥で少し腹を満たしたが、きのうは一日中重たい荷物を担いで山を歩き回ったせいか疲れがどっしりと体に響いているのを感じた。待ってろ、鈴子。明日は絶対一日一緒にいてやるから。暗い夜道を歩きながら、和夫の頭は妹のことで一杯だった。やがて駅に近づくにつれて道行く人々の姿があっという間に二重三重に重なり始めた。早朝なのになんでこんなに大勢の人々が駅に向かっているのだろう、隣を歩く五郎に聞く前に、雑踏にもまれて和夫は五郎の姿を見うしなうまいと、必死にその後姿について行った。約二十分も歩くと、駅に到着した。太洋駅の駅舎は爆撃で焼け落ち、テントが張られていた。

「あれが仮営業中の太洋駅だ」と五郎が天幕を指差した。

この頃から和夫の思いは、鈴子から初めての東京への旅への興奮と好奇心に入れ替っていった。線路を跨いで掛けられた長い跨線橋は、大きな荷物を担いだ人や故郷に帰る人、疎開から帰郷する学生、闇物資で一儲けをもくろむ出稼ぎ労働者や買い出しのための大きなリュックサックを担いだ人々でごった返していた。

「おい、背中の荷物に気をつけろ。俺たちは売り物を運んでいるんだからな。」五郎が警告した。和夫はその一言に身を引き締めた。なにしろ東京に行くこと自体が、一大冒険だった。その上、金目の商売に携わるなんて。大人の仕事に思えた。確か、五郎は塩一升に米三升と言われる程、塩は貴重品だとか言っていた。雑踏をかき分けてやっとホームに到達したものの、二人は肌寒いプラットホームで二時間以上も待たされた。

「ウー寒めえ……」薄い長袖シャツ一枚の五郎はホームを吹き抜ける風に両腕を抱えた。

東の空がようやく薄暗い地上の上に一筋の緋色の線であたりを染め始めた頃、真黒な図体をした列車が重たい機関車を引っ張り、煙突から黒煙をもくもくと吐きながら、地響きを立てて駅のホームに入ってきた。

「シュッシュッシュッ……、ゴトーン」

車輪が重々しく停車するや否や、駅員の「太洋、太洋……」と連呼するアナウンスを尻目に、ホームいっぱいに群がった乗客たちが我勝ちに車内に乗り込もうとした。しかし汽車はデッキまで乗客で塞がれていて、窓から乗り込むしかなかった。

「尻を押してくれ。もっと強く。」

「そこじゃない。もっと上だ。」

「一、二、三」

後に並んだ乗客は、自分も乗り遅れては大変だとばかり、みんな夢中になって尻押しを手伝い始めた。

「これでは車掌もやって来れねえなあ。」と五郎がニヤニヤした。和夫はそれを聞いてほっとした。

一段落して二人が通路に乗り込んだ時、目の前の座席で幼い子どもが母親から渡された白いおにぎりを食べ始めた。「食べたい！」和夫は喉から手が伸びそうな衝動に駆られて目をそむけた。引ったくって食べたい。目をそむけると五郎の目と視線が合った。飢えや激しい空腹と戦う多くの人の面前で、平気で娘ににぎり飯を食べさせる母親の無神経を攻める心と、自分のいやしさを責める心がぶつかり合った。そむけた視線が今度は窓からホームに飛び降りて、ホームの端で用を足す男の姿を捕えた。「ここも戦場なんだ。」そう思った。

やがて大混乱が治まると汽車はボゥーと長い汽笛を鳴らし、重たい車体をガタン、ゴトン、ガタン、ゴトンと揺らしながら、次第に速度を上げ、もくもくと黒煙を吐きながら走り出した。

常磐線上り。太洋駅から上野駅までの各駅停車。約五時間の旅が始まった。

車内を見渡すとぎっしりと乗客が詰まった入口付近には、大きな籠を担いだ中年の女性たちが陣取り、女たちは床に降ろした荷物の上にどっかりと腰をおろし、手慣れた風情でプカプカと煙草を吸ったり、あるいは居眠りをしていた。担ぎ屋も多かった。五郎に「担ぎ屋って何ですか？」と尋ねると、五郎は顎でしゃくるようにして小声で和夫の耳に声をひそめて答えた。

「農村と都市の間を往復して食糧や統制物資を買い入れて、かついで売り歩く連中だ。」

和夫は頭に手拭いを被り、大の男でさえよろけそうになる二段の重い籠を、いとも楽々と肩に担ぎ上げる女性たちのたくましさに感心した。

「戦争に負けたんだ。今はまず食べること、着ること、住むことだけで精一杯の世の中だ。女だって男だって、強い者勝ちさね」と森田五郎は苦笑した。

「こんな時にゃあ、女も男もねえもんだ。新聞に書いてあったが、どこかの偉い裁判官が法律を守って闇米を食わないで餓死したという記事を読んだよ。正しく生きるために死ぬか、あるいは生きるためには法を破るか、人間はどっちかだよな。」

昼近く前、満員列車は予定時刻をかなり遅れて、終着駅上野の上りホームに到着した。五郎に促されて汽車を降り、薄暗い地下通路を歩いていく時、和夫はぎょっとした。天井が低い地下道の冷たいコンクリートの上には、ほとんどなにも着ないでごろごろと重なり合っている汚い子どもたちが沢山いた。その子どもたちは一様にひどくやせて、無表情で、ある者は柱に寄りかかり、ある者は両足を前に投げ出し、ボサボサ頭を前に垂らして異様な光景だった。

「おい、見るんじゃない。かわいそうな戦争孤児たちだ。東京大空襲で家を焼かれ、親を失い、行き場がなくなった大勢の子どもたちが駅のホームや焼け残った建物、駅周辺の地下道やガード下を寝倉にしているんだ。」

和夫は五郎の説明にぞっとした。もし自分が東京にいて空襲を受けていたら、あるいは五郎に救われていなかったら、自分も鈴子も彼らと同じようになっていたかもしれない。

和夫の心には、少しずつ世の中のさまざまな格差というものが分かりかけていた。

戦争中は父親や家族の誰かが出征している家も多く、その中で生活の安定や幸せを失った子どもたちも沢山いた。その時は国民全部が同じように戦い、困窮に耐えていると思っていた。しかしいざ戦争が終わると、家も焼けず、家族を失わなかった人たちには、元の普通の生活がある程度戻ってきていた。戦地から帰還して家庭を建て直す父親、兄弟が復員してきた家、長く抑留された後、解放されて帰国した家族には、それぞれの深い傷跡や苦闘はあったものの、保護者と家を同時に失った戦争孤児たちは、一番悲惨だった。住む家も気にかけてくれる者もなく、哀れだった。

以前、和夫は終戦後、学校の近くを通りかかった時、国民服を着ていたものの、家族と楽しそうに歩いている同級生や学校に通学する友だちの姿を見掛けた時の衝撃は激しかった。同じ学級でかつて成績の一、二を争う間柄だっただけに、強烈な羨望と悔しさで心が折れかけた。

父さんが生きて帰って来てくれていたら！　せめて母さんだけでも生き残っていてくれたら。そう考えると心が暗くなった。この数年、好きな本どころか、教科書すら持っていない。鈴子を守るために、いつもいつもそのことだけを頭に置いて、本を読みたい、もっと勉強したいという強烈な願いを封じ込めて生きてきた。

冬空の下で血が滲んで、ひびの割れた両手をこすりながら、やせ細った両肩を寒そうに縮めている鈴子の姿に、どうにかもっと楽にしてやりたいという気持ちが勝った。何とかして今の境遇から脱け出したい。この一心で今まで頑張ってきた。

和夫は肩に食い込むリュックサックの紐を片手で緩めながら、森田五郎の後姿を見失うまいと懸命に駅の中央階段を登っていった。すると突然、上段から聞き慣れない外国語が聞こえてきた。思わず視線を上に向けると、幅広い階段の中央を降りてくる、背の高い外国人一行の姿に圧倒された。

外の通路に通じる出入口は地下通路とは異なって光が射し込んで明るく、カーキ色の軍服を着た男の背の高さと金髪の頭、そしてまるで絹のようにふんわりした美しいピンクのワンピース姿と高靴をはいた女性の姿が、絵から抜け出した人物のように思えた。その一行は、まるでそこだけが別世界のように今まで薄暗く、汚れた駅地下道の光景から浮き出たような異彩を放っていた。

あれがアメリカ人なのだ。

今まで日本が戦ってきた敵国人なのか！　その驚きと共に、和夫は自分が幼い時、クリスマスの夜、両親に連れられて行った大きな建物の中で、鼻が高く白い顔をして、目が驚くほど大きい外国人に「この膝は何のためにあるのか」と優しく聞かれ、とまどっていた幼い自分をさっと両手で抱き上げ、自分の大きな膝の上に座らせてくれた外国人の優しいほほえみと、グローブのような大きな手を思い出した。

「和、行くぞ。迷児になったら大変だ。俺から目を離すな。今日中にどうしても帰らなければならないんだ。」

森田の声に、和夫は我に帰った。

その日和夫は、次から次へと心を揺さぶられる光景を目にした。

8　戦争孤児たち

上野駅を出た所で、まず最初に目にしたのは、改札口を出た所で往来する人々の靴磨きをしている少年たちの姿だった。

十二月も半ばのこと。駅は買い出しの人々でごった返していた。国電は走っていたが、ところどころ窓ガラスは割れたままで、吹きさらしの駅のホームは寒くて、近所の森川さんに貰った上衣を物々交換であげてしまった和夫は、薄い長袖シャツを二枚着ただけの薄着姿に時折吹きつけてくる寒風に身震いした。

しかし、駅前に陣取った戦争孤児たちは逞しく、ふてぶてしい表情を浮かべて働いていた。外で拾った煙草の吸殻を口に当てて大人の真似をしている者、ガード下を寝倉にする新聞売り、栄養失調でやせこけ、皮膚病にやられ、シラミだらけだったり、中には服がなくてドンゴロスという南京袋を服の代わりに着てうろついている者、また戦火をくぐり抜けた勲章のように片頬に痛々しい傷跡の残る少年もいたが、おしなべて彼らは逞しく見えた。

「あいつらはたった一人でここまで生き抜いてきた。あいつらの苦労は半端じゃない。盗み、かっぱらい、ゴミ箱あさり、拾い……など生きるために今日まで何でもやってきた。たとい闇市からのカッパライ、モクバイ（タバコの密売）、チャリンコ（少年スリ）をしたとしても、生きるためだ。他に何ができた……ところでお腹が空いた。おい、あそこのヤミ市で雑炊を売っているぞ。ここで少し腹に何か入れて行こう。」

森田五郎は街頭の闇市で大勢の人々が群がっている急ごしらえの屋台を見つけて足を止めた。朝早いうちに二十キロ近い塩を背負って何も食べずに出発した二人は、ひどく空腹だった。

「実がほとんど入っていない雑炊でも、何も食べないよりはましだ。どうだ、少しは暖まっただろう。」

雑炊を二杯食べ、カストリ（注・酒粕を蒸留してとった焼酎）を飲んだ五郎は上機嫌だった。うなずきながら和夫は、このヤミ市の食堂で、雑炊が飛ぶように売れる光景に驚いた。そして子供心に、自分たちは大変な時代に生きているのだと思った。

大空襲と廃墟。そこから生じた大混乱は今だかつてない悲惨な生活。秩序は失われ、全てが喪失と欠乏に塗り込められていて、明日という日がどうなるかを全く予測できない。まるでこの状態には大海の中を漂う難破船に乗っているようなどうしようもない不安が伴っていた。和夫は大勢の戦争孤児の姿を目の前にして、生きていくのは並大抵ではないけれども、自分は鈴子のためには命を大切にしなければと心の中で思った。

その時一瞬、彼の心の中に星を頼って砂漠を進む三人の旅人の絵が思い浮かんだ。もしかしたら、あのカードに描かれた三人も何かを求めて旅をしていたのではないかと。

　その日の午後は、行く先々で目にするもの全てが衝撃的な光景の連続だった。父が出征する前、和夫がまだ小学校一年生の頃、一度だけ東京に連れて来てもらったことがあったが、全てがその時の思い出とは変わり果てていた。

　山手線を走る電車の窓ガラスはところどころ割れたままで、車内から見える外の風景は焼け残った家並みの跡の他は、一面焼け野原が広がっていた。その中にポツポツとバラックの建設が始まっていて、駅の周辺だけは急ごしらえの闇市がひっそりと建っていた。

　珍しかったのは新宿駅の案内の看板が「ＳＨＩＮＪＵＫＵ　ＳＴＡＴＩＯＮ」と英語で書かれていたことだった。アメリカ軍が戦争に敗けた日本を占領したと誇示しているような感じがした。

　やっと新宿駅を降りると、和夫は森田五郎と焼け野原の道をかなり歩いた。

「おい、どうなっているんだ。目印の家や建物がみんな消えてしまって、探すのにひと苦労だ。」

　その頃までには、二人は早朝からの長旅と粗末な食事、慣れぬ旅と背中と両手に下げた荷物の運搬でかなり疲れがでていた。

「おい、ここらで一休みだ。」

　焼け跡が続いたある町角で五郎が足を止めた。ほっとした和夫が地面に鞄をおろし、肩からリュックサックを外し、道端に置こうとした。その一瞬を狙って、横から二人に飛びかかってきた者がいた。

いつの間にか二人の後をずっとつけて来たらしい三人組の浮浪児たちが、道路に置いた二人の荷物めがけて一斉に襲ってきた。

三人とも十五、六歳ぐらいの少年たちだった。ボサボサに伸びた髪に真黒に日焼けした顔。大人顔負けの不敵な表情を浮かべた三人の鋭い目は、あたかも獲物を狙って襲いかかった豹のようにギラギラ光っていた。三人は五郎の足元に置いた塩の詰ったリュックサックを引きずった。

「和！　リュックを守れ！　持っていかれるな!!」叫びながら五郎はリュックを相手から奪い返すと軍隊で鍛えられたパンチで少年たちを撃退した。和夫は他の二人の容赦ないゲンコツを体中浴びながらも、うずくまって塩の入ったリュックサックと鞄を両手で抱え込んだ。強力な打撃で振りおろされる拳骨の嵐。憎しみがこもった強烈なパンチ。浮浪児たちの目には、必死な凄まじい憎悪が光っていた。何のためらいもなく人を襲い、物を奪おうとするそのふてぶてしい表情には、ひとりで生きてきた断固とした決意と冷酷さがあった。

「こら、やめろ！」

五郎は雷のような大声で怒鳴ると、和夫を殴り続ける一人に最強のパンチを食らわした。三人の浮浪児はやっと和夫から離れたが、逃げながら振り返ったその目には、悔しさが入り混じった激しい憎悪が見て取れた。

「ひでえ奴らだ！　あいつらは俺たちの荷物を米だと感違いしたのさ。」

五郎が一人に指で引っかかれた頬の傷をさすりながら呟いた。

「どんなに堕ちても、獣にはなるなよ。」まるで自分自身に言い聞かせるような五郎の口調に、和夫ははっと心を突かれた。

戦死した父は、一度も自分に偉くなれと言ったことがなかった。ただ「どんなに苦しいことがあっても、恨んだり、道を外したりせず、正しく生きろ」と言われたことをにわかに思い出した。でも正しく生きるとはどんなことだろうと中学生になってから、ときたまふと父のこの言葉を思い出すことがあった。ではそれはどんなに貧しくても盗んだり、人を傷つけたりしないで、苦しみにじっと耐えていけということなのだろうか。その時から和夫の心には、父の言葉が再び響き始めた。

その日の午後遅く、森田と和夫は製塩の注文主という五郎の旧友の家をやっと探し出して渡すことが出来た。新宿区というから、かなり繁華街の一角と思われたが、あたりは焼け野原で、空襲で焼け残った二階建ての家の隣の空地に建てたバラック食堂だった。

「これから店はもっと繁盛するぞ。何しろみんな飢えているんだからな。」

その日、二人が持参した製塩四十キロはかなりの高値で売れた。懐に大金を得た五郎は、帰途、かなりご機嫌だった。相変らず人波でごった返す上野駅の闇市の食堂で濁酒(注:もろみをこさない白く濁った酒)を飲んだ森田五郎は、いつになく陽気だった。

その夜、二人が太洋市に戻ったのは、十二時を過ぎていた。疲れ切っていた二人は、たちまち泥のように眠った。

翌朝、疲れ切った体で目をさました和夫は、真っ先に鈴子のことを五郎に尋ねた。

「鈴のことか。心配するな。今日、藤崎医院から帰ってくる。先生の奥さんは、家の奴が若い時勤めていた鉱山病院の婦長さんだった。随分お世話になったよ。この前、鈴のことを話したら、忙しいのに気持ちよく面倒見てくれると引き受けてくれて、大助かりさ。もうすぐ帰ってくらあ。」

五郎は話しながら鉄釜に薪を何本か放り込んで豆を煮ていた。昨日、闇市で砂糖を買ったので、おいしい豆を鈴子に食べさせるのだと言う。五郎の横顔には戦争中右頬を弾丸が掠めた傷跡がうっすらとあり、右手の小指は無かった。五郎はこうしたことを以前こう話していた。

「こんなことは、てえしたことじゃない。おれたちは軍隊でこの何倍もしごかれてきたのさ。ちょっとのミスで鉄拳をくらったり、スリッパで顔を殴られたり、地面を腹這いに歩かされたり、まるで奴隷のように扱われた。上官に反発したら銃殺。それよりもひどいことは食べ物がないことだって、しょっちゅうだった。密林地帯では食いものの代わりに蛇や蛙、木の根っこまで食ったんだ。そうやって四年間生き地獄を生き延びて帰ってきた。戦地で死んだ方がましだったのかな……。」

五郎はそれ以上の愚痴は決して言わなかった。けれども和夫は五郎の顔の傷や欠けた指を見る度に、彼が戦争で体験した苛酷な苦しみと喪失の悲しみの深さを思い浮かべた。この人はどれだけの悲しみと苦しみに耐えて生きているのだろう。戦争で苦しんでいるのは、自分だけではないのだと。

その日、和夫は丸二日ぶりに鈴子と顔を合わせた。母の死以来、こんなに長く離れて過ごしたことは、今まで一度もなかった。昭和二十年（一九四五）七月十九日の艦砲射撃で母と家を一度に失ってから、二人はぴったりくっついて支え合って生きてきた。

五郎は仕事を手伝いながらそわそわと落ち着かない和夫の姿を見て、「おい、和、迎えに行け」と尻を押した。それで玄米を突く仕事をやめて町に向かう道を歩く途中で、和夫は年配の女性に付き添われて帰ってくる鈴子と出会った。和夫の姿に気がついた鈴子が「お兄ちゃーん……」と呼びながら駆け寄ってきて、和夫にしがみついた。

「鈴ちゃん、良かったね。お兄さんが迎えに来てくれて」と後から追いついた女性が言った。

年の頃六十代。やせていたが、元看護婦長だったという五郎の説明から想像した人物像とは裏腹に、ずっと優しく、親しみやすい感じがした。

「妹がお世話になりました。ありがとうございました。」和夫は元気で帰宅した鈴子の姿にほっとして、心から感謝した。

その日五郎は和夫に鈴子とゆっくり一日を過ごしてもよいと休みをくれた。鈴子は藤崎先生の奥さんがくれたという赤いセーターを着ていた。

「このセーター、とっても暖かくて、きれいでしょう。あのおばちゃん、鈴にとっても優しくしてくれたよ。」

「そうか、良かったなあ……」

「暖かいセーターを着せて、ずっと寝かせてくれたんだ。」

「へえ。」生き生きと語る鈴子の少し火照ったような顔を見ながら、和夫は妹を心から愛しく感じた。

ここ数か月、妹とゆっくりと過ごす日が次第に減っていた。

「よかったなあ。よく休めて。」

和夫は鈴子の話を聞いて心底、ほっとした。今の時代、極端に食糧事情が悪く、親を失った孤児たちが親戚の間でも疎遠にされ、時にいじめられて家から追い出され、次々とたらい回しにされて苦しんでいるというニュースを五郎から聞いて知っていた。それなのに親戚でも知り合いでもないのに、こんなに親切な人がいることにほっとした。

「あのね、あの小母ちゃんにお兄ちゃんが持っていた大切な絵のカードのことを話したの。そしたら小母さん、それはベツレヘムの星じゃないかって教えてくれたの。ラクダに乗った三人の旅人と大きな星、そして砂漠のことを話したら、きっと、それはイエス様という神様がお生れになった場所に導いてくれる星じゃないかって。そしてこのイエス様という人は全世界の救い主で、私たちを救うために人間の姿をしてこの世にお生れになったんだって。」

「………」

「お父さんもお母さんも、鈴が生まれる前から、この神さまを信じていたんでしょう。だから鈴もこの神さまを信じて、この星が連れて行ってくれるところに行きたいな。」

和夫は自分がリュックサックの底から取り出したカードを握りしめて無邪気に語る鈴子の顔を、複雑な思いで眺めた。何だろう。今まで二人の間で理解しえないことなど何もなかったのに、今では鈴子の方が先にこのカードの意味を悟ってしまったような敗北感を抱いた。それでも元気を回復した鈴子の姿にほっとした。

だがこの幸せの日は長く続かなかった。晩秋が過ぎ、初冬の寒さがいちだんと厳しくなるにつれて、浜辺での生活から光が消えた。バラック小屋から見える海辺から人影は消え、黒々と聳える断崖が、あたかも人を寄せつけない古城のようにすぐ近くに黒々と聳えて見えた。

そんなある日、鈴子が再び高熱を出した。

「手が痛いの。」

「どら見せてみろ。」

和夫が鈴子の小さな手を取って見ると、親指の先にほんの小さな傷があり、熱をもって腫れていた。

「どこかで指を痛めた？」

「先週から、親指が痛くなり始めたの。」

「何かあった？」

「浜辺で貝殻を拾っている時、釘みたいな尖ったものが埋まっていて、指の先を刺したの。」よく見ると鈴子のちっちゃな指は赤ぎれと霜焼けでひびが入り、血が滲み、その上、手のひら全体が腫れて、少し熱を持っているように見えた。

「痛い」と言うので、その日の午後、和夫は鈴子を連れて藤崎病院に行った。けれども残念なことに、その日は藤崎夫妻は急に破水した難産の妊婦の出産介助のために、隣町まで出掛けていて、いつ帰宅するか分からないと留守番の看護婦が出て来て言った。それで仕方なく、その日は手の傷にばい菌が入らないように包帯をして貰って、浜辺のバラック小屋に帰ってきた。手はそれほど痛まなかったが、鈴子は疲れたらしく体がとてもだるいと言って、帰るなり横になって寝てしまった。


次の日の朝、鈴子は高熱を出した。和夫が再び背中におぶって藤崎病院に連れて行くと、昨夜午前二時までかかった分娩介助で疲労の濃い顔付きの藤崎医師が鈴子の容体を見て顔色を変えた。

「これはいつから痛み出した？」

そう聞かれて和夫は返答に困った。そう言えばもう一か月前から、鈴子の手は少し腫れているような気がした。ひび割れと霜焼けがひどく、血が滲み、腫れた指は見た目にも悲惨だった。かつてはほっそりとして、柔らかかった手が、まるで老人の手のようにごわごわしていた。

藤崎医師は和夫を別室に連れて行くと、出来るだけ冷静な口調で告げた。

「妹さんの傷は敗血症（細菌などの病原微生物に感染し、体がその微生物に対抗することで起こるさまざまな状態のことで、全身性炎症反応症候群ともいいます。）だ。恐らく砂浜に埋まった古釘か、先の尖った物で指を刺したにちがいない。それだけでなく悪いことにその先に錆がついていたのだろう。化膿した傷が原因となり、悪性の細菌が繰り返し血管に入り全身を侵して高熱が出た。さらに悪いことは、極度の栄養失調がその病状を急激に悪化させたにちがいない。」

あまりにも残酷な宣告だった。

「治るんですか?」

藤崎医師は昨日の疲労が滲んだ顔で、真剣な表情で尋ねる和夫の目をじっと見た。そこには大いなる憐れみの表情があった。医師はそっと片手を伸ばすと、膝の上に堅く握った和夫の右手の上に皺だらけの手を重ねた。

「ありったけの努力をするつもりだがね……。」

その日から、鈴子は藤崎医院に入院した。和夫は翌日も仕事を休んで見舞いに行った。藤崎先生の奥さんが、小さな部屋に案内してくれた。

「今、空いている部屋がここしかなくて、申し訳ないけれど、夜は私が付き添って一緒に寝ているのよ。」

その日和夫は約二時間、鈴子の布団の側にじっと座っていた。妹の赤らんだ顔を見ながら、今までの数々の思い出が走馬燈のように頭の中を駆け巡った。

歳が八つ離れて生まれたせいか、鈴子の誕生は両親が大喜びだっただけではなく、和夫にとってもかけがえのない存在だった。

特に母の死後、二人で無我夢中で切り抜けた爆撃の中での逃避行の中には、残酷な場面もあった。和夫は鈴子を恐怖から守るために精一杯の努力をしたのだった。

その一方、二人で遊んだ浄水場での美しい秋の紅葉と、それを楽しむ鈴子の姿が思い出された。

「鈴……、死ぬな……、死ぬな。」

言葉に出さぬまま、和夫は何度も呟いた。


三日目に和夫が布団の側に近寄ると、鈴子はうっすらと目を開けた。

「あっ、お兄ちゃん、来てくれてうれしい！　わたし今、夢を見ていたの。あのベツレヘムの星の夢……、わたし、もう少しで砂漠を通り過ぎて星が案内してくれる場所に着く夢を見たの。もう少しでお父さんとお母さんのいる所に行けそう……。」

熱のせいか真っ赤に上気した頬が、痛々しかった。

何と声を掛けていいか分らず、和夫は鈴子の片手を両手で握りしめた。

こうした場合、何と言えばいいのだろう。

がんばれ！　とは言いたくなかった。もう十分過ぎるほど、がんばってきたのだから。

その日も和夫は長い間、鈴子の側に付き添っていた。

鈴子が亡くなったのは、その日の午後遅くだった。和夫がほんのちょっとの間側を離れたすきに、鈴子はひっそりと息を引き取ってしまった。報せを受けて飛んでいった時、和夫の心の中は激しい嵐のような自責の念に責められた。

こんなに妹の体が弱っていたとは知らなかった。その妹を放ったらかしにして東京に行き、帰って来たら久しぶりの遠出の疲労と興奮のあまり泥酔したように眠って、妹のことを後回しにしてしまった。自分がいない間、鈴子はどれほど心細く、不安で恐れつつ自分の帰りを待っていたことだろう。和夫はただ、ただ茫然としていた。時間がどのくらい長く過ぎ去ったのかも気がつかなかった。自分が重い犯罪人のようにさえ思えた。

東京行きだって、もっと鈴子のことを大切に考えていたなら、ぜったいに断わるべきだった。でも自分は心の奥底で、この荒涼とした海辺を離れて別の世界を見たいという心ひそかな欲望にそそのかされた。

だが現実は、行って見れば東京もここと同じか、あるいはそれ以上、焼け野原で、見るべきも何もない廃墟の町だった。とにかく、どこでもいい。自分は異なった場所に逃げて行きたいという卑怯な願望に引き摺られて、置いて行かれる不安に内心震えていただろう鈴子の気持ちをないがしろにしてしまった。手が痛んでいた鈴子は、どんな気持ちで不安と痛みが増す日々を過ごしていたのだろう。後悔が後から後から沸き出る水のように吹き出した。

「鈴……ごめん……ごめん。」

悪いことに悲しみが頂点に達する頃、今度は思いがけないことに怒りが込み上げてきた。

どうして、どうして、ぼくから大好きな両親だけでなく、残されたたった一人の妹まで取り去ってしまったのですか。思いがけなく突然こみあげてきた怒りがあまりに急だったので、和夫は自分自身に当惑った。母が亡くなった時は、ただ深い悲しみと自分に残された妹の保護者としての使命感から、果すべき責任の重圧にただ無我夢中だった。

だが今は、守るべきものも何もなく、ひとり残された。和夫はそっと医院から脱け出ると、当てもなく歩き出した。そして気がついた時には、かつて自分が住んだ家の跡地を通って阿武隈山脈の山道、森、雑木林を当てもなく歩いた。どこもかもかつて鈴子と歩いたことのある思い出の小道だった。

やがて兎山の高台に立った時、遠くの海はすでに薄闇にほとんど覆われていたが、地平線と思われる一角にほんの一筋の茜色の帯がぽっと輝くと、一瞬のうちに光が没した。

その時、ふと和夫の脳裏に一つの歌が響いた。

「はるかにあおぎみる　かがやきのみくにに　ちちのそなえましし　たのしきすみかあり
われら　ついに　かがやくみくににて　きよき　たみと　ともにみまえにあわん」

（讃美歌　五六三番　日本基督教団賛美歌委員会編　日本基督教団出版局、現行讃美歌四八八番）

この讃美歌には、いくつもの思い出があった。幼い時、両親に連れられて教会に行った時、聖歌隊が練習していたのを何度か耳にした。その後、父の葬式の時に歌われた曲であり、また母淑子が夜なべをしながら、よく口ずさんでいた愛唱歌でもあった。度々この歌を耳にしていたので、七歳の鈴子もつられて歌っていたことがあった。

病気になる少し前も、「お兄ちゃん、『かがやきのみくに』って何?」と尋ねたので、「きっと天国だよ」とよく分からないまま答えたものだった。「鈴も行けるの?」と聞くので、「ああ、たぶん、神さまを信じればな」とその時もまた深く考えないで、いい加減に答えた場面が鮮明に思い出された。もっと、きちんと考えて、話すべきだった。と後悔したが、でも、きっと鈴はそこに行っている。そう思うと、深い悲しみがちょっぴり引き上げられ、少しずつ冷静さを取り戻した。

辺りを見回わすと、夜のとばりにすっぽりと包まれた雑木林の間から街の灯が暗闇を縫ってぽつぽつと見えた。

そうだ。森田さんや藤崎先生たちがぼくのことを心配しているだろう。早く帰って鈴子を葬ってやらなければ。

それからのことは和夫はすべてが夢の中の出来事に思えた。しかし家族が二人しかいなかった母の葬式の時とはちがって、鈴子の葬式には大いなる慰めがあった。実際は葬式の全てを、森田五郎が和夫に代って全部取り仕切ってくれたからだった。

お棺はどこからか調達してきた比較的きれいな木箱を用い、誰かが持ってきた白い布が箱を覆っていた。箱の中と上には白い百合の花が沢山置かれていた。そして驚いたことには、参列者は森田五郎と和夫だけではなく、鈴子がお世話になった藤崎医院の医師夫妻と、その知り合いという教会の平沢四郎牧師と奥さん、さらに医院に間借りしていた四人の見習い看護婦さんたちの姿もあった。

病院の狭い一室に突如大きな歌声が響いた。それは鈴子が大好きだったあの讃美歌だった。和夫のやせた頬に、幾筋もの涙が流れた。

9　難破船のごとく

和夫が鈴子を失ってから、一か月が経った。昭和二一年（一九四六）一月。新しい年を迎え、太洋市は更なる復興に向かって、全市がこぞって全力を尽くしていた。

市の急速な復興の背後には、企業城下町として市の発展に努めてきた太洋製作所の素早い対応と貢献があった。太洋製作所の社長小山龍平氏は、戦争が終わった翌日の八月十六日、いちはやく工場の再建方針を発表した。それは「平和産業にすみやかに復帰専念せよ」というものだった。

米軍による太洋市への攻撃理由は、明らかに太洋市が軍需工業都市であったためであった。当時、市内の生産設備は八割方破壊されて、資材もなく、見通しは暗かった。工場内に新しい職制がしかれ、従業員の生活に密着した製品作りが始まった。これが新しい出発であった。軍需産業に代わるものとして、配電盤工場が新たに製作したのは、電気コンロ、芋切機、パン焼器、脱穀機など、生活に密着するものだった。一方、別の工場では、戦災品の修理の他に、製粉機、搾油機、農機具などの生産を目指した。

表面に ご住所・ご氏名等ご記入の上ご投函ください。

●今回お買い上げいただいた本の書名をご記入ください。
書名：

●この本を何でお知りになりましたか？
1. 新聞広告（　　　）2. 雑誌広告（　　　）3. 書評（　　　）
4. 書店で見て（　　　書店）5. 知人・友人等に薦められて
6. Facebook や小社ホームページ等を見て（　　　）

●ご購読ありがとうございます。
ご意見、ご感想などございましたらお書きくださればさいわいです。
また、読んでみたいジャンルや書いていただきたい著者の方のお名前。

・新刊やイベントをご案内するヨベル・ニュースレター（E メール配信・不定期）をご希望の方にはお送りいたします。
（配信を希望する／希望しない）

・よろしければご関心のジャンルをお知らせください
（哲学・思想／宗教／心理／社会科学／社会ノンフィクション／教育／歴史／文学／自然科学／芸術／生活／語学／その他（　　　）

・小社へのご要望等ございましたらコメントをお願いします。

自費出版の手引き「**本を出版したい方へ**」を差し上げております。
興味のある方は送付させていただきます。
資料「**本を出版したい方へ**」が（必要　　必要ない）

見積（無料）など本造りに関するご相談を承っております。お気軽にご相談いただければ幸いです。

＊上記の個人情報に関しては、小社の御案内以外には使用いたしません。

郵便はがき

恐縮ですが
切手を
お貼りください

113 - 0033

東京都文京区本郷 4-1-1-5F

株式会社ヨベル YOBEL Inc. 行

ご住所・ご氏名等ご記入の上ご投函ください。

ご氏名：（　　歳）

ご職業：

所属団体名（会社、学校等）：

ご住所：（〒　　-　　）

電話（または携帯電話）：（　　）

e-mail：

一方、「技術の太洋」を支える太洋研究所では、深刻な食糧難に対応する食品化学の研究に力を注いだ。昭和二一年（一九四六）に入ると、太洋製作所は大型電気製品、整流器、ポンプなどの生産に拍車をかけた。

六月のある日の新聞は、「太洋、漸く立直る。現有設備の八十五パーセント操業」と復興をたたえた。太洋工場は戦後一年で、早くも本格的な生産体制を整え、その年の十月には戦火から立ち直ったことを示す工場の復興祭を行なった。まさにそれは廃墟から立ち上がった不死鳥のごとくよみがえった新しい都市の新しいスタートだった。

しかし、妹をあまりにも突然に失った和夫は、まだ深い悲嘆の霧の中にいた。自分に課し

た妹を守るという母から受け継いだ使命を果せなかった自責の念が心に刺さったままだった。

早朝、まだ陽が昇らない薄闇の海辺の磯に立って海水を汲みながら、和夫は寄せては返す荒波を見て、この水の中に自分の身を投げ出せば死ねるだろうかとふと考えたりした。

たった十五年の人生の中で楽しかったのは、父が出征するまで。あとの思い出はほとんど生きることとの戦いの連続だった。それがこんなに苦しいことだとは考えたこともなかった。母と妹がいたからこそ、がんばれた。しかし今は、守るべき父も母も妹もいない人生をこの先、独りで生きていって、どんな意味があるのだろうか。

どんなに苦しくても守らなければという使命をあれほど絶対に守り抜こうとしたのに、こんなに簡単に忘れて、自分を喜ばすために動いてしまったその愚かさに自己嫌悪を感じた。和夫はすでに人生の不平等というものを知っていた。新しい制服を着たかつての同級生の楽しそうに通学する姿を何度も目撃した。

自分も勉強したい。浴びるように沢山の本を読みたい。知的な好奇心や探求心が心の中で渦巻いていた。だが戦争のために、学んでいた学校は焼失。和夫は卒業式もなく、卒業証書も持たなかった。その無念さを、和夫は森田にも誰にも語らなかった。他人に語って馬鹿にされ、落胆するのがいやだった。「親も家もないなら、分相応に生きよ」と嘲笑われるのが恐かった。

和夫の心から離れないある場面があった。それは五郎に連れられて出掛けた上野駅で見た浮浪児の姿だった。どの子どもも薄汚れて、ボロボロの服を着て、空ろな目と無表情な顔が特徴的だった。またもう一つの場面は終戦の日から半年過ぎたある冬の朝、焼けた自分の家の前の路上で死んだ老人の姿だった。夏物の薄いシャツの上にむしろを巻きつけていたが、男のはだけた襟元から肋骨が浮き出た胸がのぞいていた。

もう一つ忘れられないのは、東京に行った時、新宿のどこかの建物の陰から突然五郎と自分を襲ってきた三人組の戦争孤児が自分たちに向けた激しい憎悪のこもった悪意の視線だった。

人生は何故こんなに不公平なのか。戦争があっても家もあり、家族もみな無事で、戦争が終わると以前と同じ仕事があり、食糧こそ不足していても、そこには戦争以前の同じ生活を脈々と続けている人も沢山いる。

鈴子が死んだ翌年、和夫はもう一度森田五郎のお伴で、約二十キロの製塩を入れたリュックを背負って東京に運んだ。

その時は上野駅の地下道に群がっていた浮浪者の姿は、ずっと減っていた。なんでも前の年の十二月十五、十六日に警視庁が浮浪者の一斉収容作業を行ない、約二五〇〇人の浮浪者が保護収容されたと五郎が新聞店で読んだ記事を教えてくれた。

だが二度目の上野駅で目撃した戦争孤児の生活は、前回よりもはるかに強烈だった。孤児たちは焼け残った建物や駅周辺の地下道、ガード下を寝ぐらにして逞しく生きていた。

「タバコの密売、シャリケンバイという外食券の密売、ドル交換屋、プロボクシングの四回戦ボーイなど、飢えをしのぐために奴らが考え出した仕事はたまげるばかりだ。こいつらは自由に生きているようだが、片一方じゃあ、浮浪者が余り多くなると困る奴がいる。そこで警視庁はこいつらをコントロールするために、収容作業をするんだ。捕まっちまった奴らは、孤児たちの収容施設に連れて行かれるつう話だ。おまえ、収容施設なんて言うとカッコよく聞こえるが、そこは奴らには地獄だ。軍隊のような体罰が行われ、虐待されることもあるっていう話も聞いた。しかも孤児らは脱走防止のために裸で生活させられ、窓には金網が張られ、捕まるとリンチされることもあるという。食事は出るというから有難く聞こえるが、実際出るのはじゃがいもだけという話だ。おまえ、俺から絶対に離れるな。浮浪者狩りに捕まったら、一貫の終わりだ。」

和夫は五郎の痛ましい話を暗い気持ちで聞いた。自分たちは何も悪いことをしていない。ただ国や政治家が始めた戦争のせいで家と両親を失って孤児になった。むしろ被害者なのに、何故こんな無慈悲な待遇を受けるのだろう。勉強したい。沢山本を読んで、苦しんでいる人を助ける人になりたい。

だが戦争孤児の話を知れば知る程、和夫は心が暗くなった。

「おい、戦争孤児の記事が新聞に出ているぞ。」

ある日、五郎が新聞店からもらった新聞を和夫の前で広げた。

「長野県の方の孤児収容施設の話が載っている。少年たちが近くの小学校に転校したいという話だが、難しいよな。孤児たちが小学校に入れてもらって暖かく迎えてもらえればいいがなあ。世の中は甘くねえからなあ。特に田舎の小学校ですんなり受け入れてもらえるとは思えねえなあ。ありゃ、施設から来たもんだとか言われて差別を受けなけりゃあいいんだが。あるんだよ。こういうの。美談の裏には悲劇が。世の中は甘くねえ。俺だってさんざん苦労してお国のために戦ってきたのに、帰ればやれ復員兵だ、宿無しだと白い目で見られて、偏見の壁は高い。まあいい友だちが数人いて、どうにかやっているが。」

「じゃあ、親戚も、何もないぼくみたいのはどうしたらいいの？」

「そりゃさあ、差別や偏見や格差の壁を乗り越えるには、一にも二にも、自分の力で人生を切り開いていくしかないよな。」

「自分の力って……」

「実力だよ。馬鹿にされるのがいやなら、沢山勉強して偉くなれ。負けるのが悔しいなら、ケンカに勝て。何も持たない者は自分の人生は自分の力で切り開いていくしか生きる道はないのさ。俺はどんなことをやってもがむしゃらに働いて、この手で立派な家を建て、金を儲け、出世してやる。もちろん、沢山子どもも作ってな。おまえもそうやって自分の人生は自分で切り開いていけ！」

和夫は森田の言葉に黙って耳を傾けた。今まで自分の人生を自分の手で切り開いていく難しさ、厳しさをもう十分すでに味わってきた。これ以上、どう頑張れというのかと心の中で自問した。普通の人が何も努力しないで得てきた標準まで追いつくのに、どれほど苦労してきたことだろう。

むしろ今は生きていくことの厳しさ、険しさで疲れていた。鈴子を失ったことが、今まで自分が全力を尽くしてきた目標を失い、頑張る理由も気力もなくなり、自分が闇の中を日々当てもなく彷徨っている難破船のように感じた。なんで、なんで、自分だけが真っ暗な海にひとり残されて漂っているのだろうか。

暗闇の中を灰色のうねりを見せて押し寄せる波に目をやりながら、和夫はその波に引き込まれそうな自分を感じた。特に鈴子を失った一週間は、朝晩、海辺の磯に立って寄せては返す波を見ているうちに、この水の中に飛び込んで人生を終わらせたい衝動に駆られたことが一、二度あった。

しかし弱虫になりたくなかった。ここで死ぬことは人生の敗北者だ。上野の地下道にうずくまった浮浪者たちの惨めな姿が浮かんだ。しかも死の後に何があるのか。この疑問がまだ解決されていない。そして鈴子が臨終で残した「ベツレヘムの星」とは何か。この二つの疑問がやっとのことで和夫の足を引き止めていた。

10　荒波から引き揚げられて

昭和二十一年（一九四六）十月のある寒い朝、森田五郎が突然言い出した。

「もう、そろそろ浜の生活もおしめえだな。燃料は不足して、最近はちっとも薪も焚き木も見つかんねえ。海は荒れてくるし、取り締まりもきつくなり始めた。この辺一帯の塩炊き村もほとんど店じまいだ。おいらのこの名誉あるバラック小屋も、もうすでにガタガタだ。それで前に塩を売りに行った東京の友だちに声を掛けた。そしたら、あいつはやり手で、商売が繁盛して人手が足りないから、すぐ来て手伝ってくれと言われた。だから俺は東京に行く。どうだ、おまえもこの辺で新しい行き先を見つけろ。今月のうちにここを畳んで、あとは解散だ。」

余りにも唐突な五郎の言葉に、和夫は言葉を失った。

実はこの話の裏には、先週、塩を担いで売りに出掛けた常磐線の列車の中で、五郎が警察の一斉検査で捕まり、上野の闇市と東京の友人に売ろうとした製塩約四十キロを没収された事件があった。どうりでこの一週間、いつも陽気な五郎がかなりふさぎ込んで考えごとをしていた理由が分かった。

もちろん、十六歳になった和夫は、ここ数か月、塩炊き村の活気や浜の賑わいが今年になって急速にさびしくなり始めてきている様子に気がついていた。海辺の住人がいつの間にか一人去り、二人去り、親しく言葉を交わしたことが一、二度あった比較的若い青年たちも、まるで櫛の歯が欠けたように姿を消していた。だが気がついていたものの、そのことを口に出すのが恐かった。ここで折角築いた小さな人間関係と暮らしを捨てたら、その先どこに行ったらいいのか、考えたくなかった。五郎がいるなら、ここでいいと。そう自分に言い聞かせて、迫りくる新たな現実から逃げようとしていた。

だから、五郎の言葉は、和夫の心を矢のように刺した。

「どうだ、おまえもこの辺で新しい行き先を見つけろ。」

この言葉に今まで張りつめていた心の糸がプッツリと切れる感じがした。その失望感、絶望感が一挙に顔に出たのだろうか。

「おまえ、そんなしけた顔をすんなよ。まるで親が死んだような顔をして。俺だってこんなことは言いたくはないんだ。だが、安心しろ。」

五郎は和夫の肩をポンと叩いた。

「おまえのことはちゃんと考えているから。ある人がおまえを住まわせてくれるって言うんだ。」

「えっ、ぼくを？」

「おまえはこれ以上放浪していたら、人生お先真暗だ。野良犬みたいに。だからある人に話をしてみたら、ちょうど今まで住むとこがなくて間借りをしていた人たちが郷里に帰るので部屋が空いたから来いっていう話だ。さあ、今からそこに行こう……。」

「えっ、今から……」

「そうだ、俺も忙しいんでね。」

和夫は五郎にせかされて急いでわずかな荷物をまとめると、鈴子の遺品の入ったリュックサックと自分のリュックを重ねて肩にぶら下げ、五郎の後について海岸から町に向かった。今まで何度も行き来した稲田山の森を抜けたが、そこからはあまり行ったことのない道で、何度も角を曲ってやがて陸前浜街道からそれてしばらく歩いた住宅街の一角に、小さな医院が建っていた。「藤崎医院」小さな庭の入口に立つ古びた看板はそう読めた。以前何度か別の道を通ってここに通ったことがあった。鈴子の見舞いに。その時は無我夢中で周りのことは何も覚えていなかった。その看板を見て和夫は驚いた。

「これは……」

「そうだよ。鈴ちゃんを看取ってくれたお医者さんの家だよ。あれから俺は先生と何度か会う機会があって話しをしていたら、おまえのことが話題になった。先生はおまえのことをいつも心に留めていてくださってな。おまえが孤児で家も親戚もないことを知ると、家に引き取りたいと言われた。……実はな、俺もだいぶ前からここを去る日がまもなく来るのではないかと考えていたのさ。そしてここの仕事ももうすぐおしめえになることが分かっていた。だからおまえをここに連れて来た。神様のような人がこの世にいることを感謝するんだな。孤児で身寄りがないからって、いじけるんじゃねえぞ。若いんだから、一生懸命努力して、自分の人生を築いていけよ。ほら、おまえの荷物。これは俺からのちっちゃな銭別だ。」

五郎は思いがけない成り行きに戸惑っている和夫の手に雑貨を入れた手荷物を渡し、最後に小さな紙切れと二枚の紙幣を握らせた。

「その紙切れには俺がこれから行く東京の住所が書いてある。これから頑張って新しい仕事を始める。うまく行ったらおまえを迎えに来るから、それまでガンバレ！」

和夫は胸が詰まって、言葉が出なかった。余りにも唐突な別れ……。その間に五郎はさっさと体を翻して、立ち去った。気がついた時には、がっしりした五郎がいかつい肩の横から出した右手を小さく振って、生垣の角から消えるところだった。呆然と立ちすくむ和夫。何一つお礼も言えないうちに行ってしまった。後悔と不安。五郎は浜辺で初めて出会った時も唐突だった。そう思い気を取り直すと和夫は手に渡された紙幣をポケットにしまいそろそろと玄関に近づいて呼び鈴を押した。

「はい」少しすると奥の部屋から、白い服を着た看護婦らしい、年配の女性が出てきた。その顔を見て和夫ははっとした。どこかで以前、会ったことがある顔だった。

「あのう、ぼく……」恐る恐る話しかけると

「あら、あなたは樫村和夫さんでしょう。私たち、あなたのことをずっと前から森田さんから聞いて、来るのを待っていたのよ。森田さんは？」

「もう帰りました。」

「そう、せっかちなあの人らしいわね。さお、お入りなさい。先生は往診に出かけて留守だけど。実はね、あなたにはもっと早く家に来てもらいたかったの。でも戦争で家を失った人たちがずっと間借

りしていて、ほんの二日前、太田の親戚の家に移っていったところ。掃除を終えたばかりで、ちょうどよかったわ。」

つましい医院だった。小さな庭の奥に二十五坪ぐらいの小さな診察室と待合室があり、その裏手に医師の住居があった。その小さな住居の一室に重病で、瀕死の鈴子が熱で火照った顔で喘いでいた光景が映画の映像のように突然和夫の脳裏に閃いた。

「あの時は、鈴子が……お世話になりました。」

「鈴子ちゃんは、今、天国で安らいでいるのよねえ。」

その一言が和夫の心に深く滲みた。

こうして夢にも思わなかった新しい生活がその日から始まった。和夫が同居することになった新しい家族は、六十代の産婦人科医院の医師藤崎洋平と節子夫妻だった。

その夜、洋平は夜六時過ぎに古ぼけた自転車を引いて往診から帰宅した。かなり疲れた様子だったが和夫の姿を見ると、特に驚く様子もなく「やあ、よく来たね」と前からの知り合いのように迎えた。かなりの老齢のように見えたその顔には、見覚えがあった。かつて約一年前、鈴子のささやかな葬式に白百合の花を沢山持参して、しかも鈴子の最後を看取ってくれた人だった。胸が熱くなって、「あの時はありがとうございました」ともう一度礼を言った。

「ウム……。妹さんは残念だったね。さぞ辛かったろう……。」

深いいたわりのこもったその言葉に和夫は涙がこぼれそうになったが、必死でこらえた。

「あなた……夕食は？」

「少しだけ食べた。今日は疲れたから、すぐ寝るよ。」

そう言うと医師は洗面所で手と顔を洗って、寝室に向かった。

「先生、ここんところ、とてもお疲れなの。昨年の空襲の時から、ほとんど市内の医師たちは寝ないで働きづめなのよ。なにしろあんなにひどい空爆や艦砲射撃で大勢の死傷者が出たでしょう。この街の医師たちは、その人たちの手当てや検死に駆り出されて、内科医も外科手術やあらゆる手当てや看護に対処することを求められて、とにかく滅茶苦茶なのよ。」

節子がこう語るのを聞いて、和夫は産婦人科医の藤崎が鈴子の看護を受け入れてくれた理由が分かった気がした。とにかく戦後二年が経ったと言えども、まだ世の中の流れはまだ完全に元には戻っていないことがうかがえた。それどころか食糧事情や生活用品の流通面では、戦前や戦中より、むしろ戦後の方が苦しい世情が分かってきた。

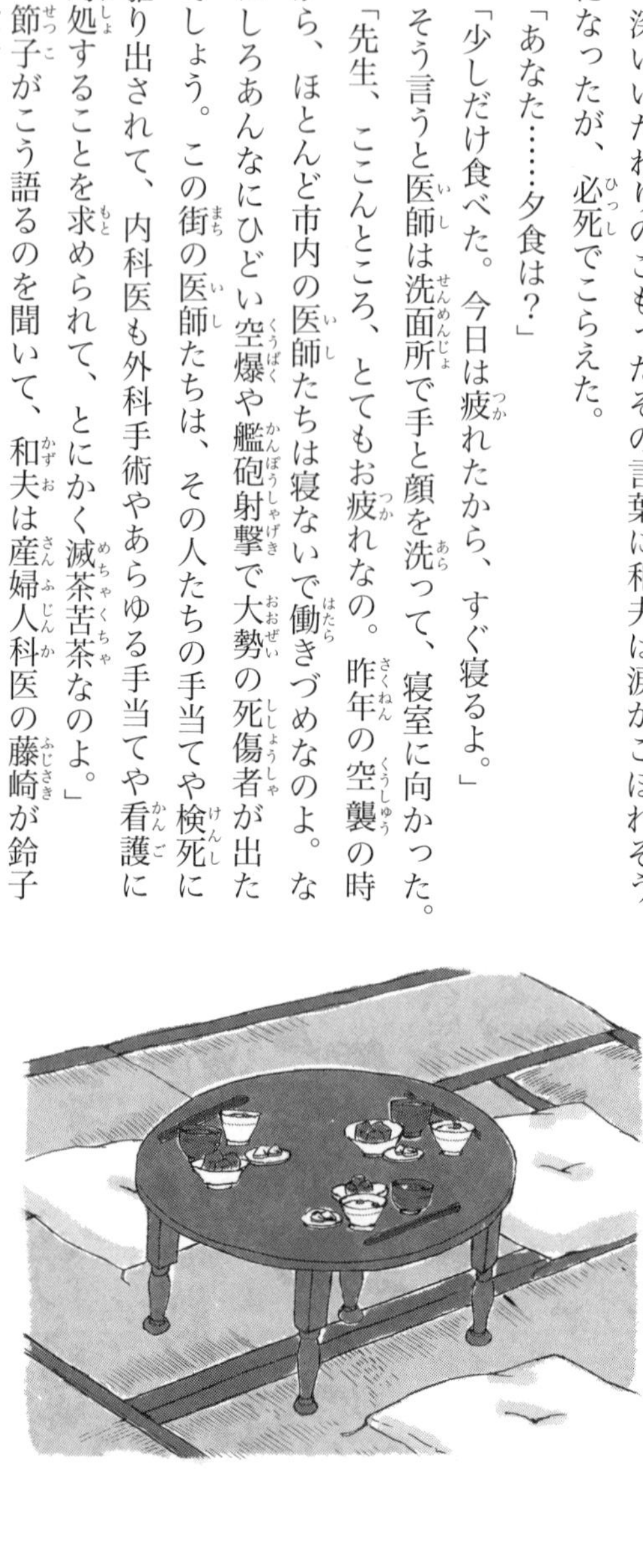

翌朝、久しぶりに部屋の中の布団の上で寝た心地良さと安心で目を覚ました時は、すでに朝の太陽

がカーテン越しに明るく射し込んでいた。床の上に半身を起こし、何げなく四畳半の小部屋の柱にかかった時計に目をやった和夫は、はっとした。

「七時半！　しまった！　寝坊した。」

過去一年半の浜辺の生活は、朝日が昇る早朝から始まったものだった。急いで起き上がり、節子が昨夜出してくれた寝間着をいつもの服に着替え、台所に向かった。

「お早うございます。寝坊してすみません。」

「いいのよ。しばらくゆっくり起きていいのよ。あなたのことは森田さんから色々と聞いているわ。かなりきつい生活を送ったようね。ここでは何もかもゆっくりなさい。先生は昨日はとても忙しく働いて疲れたので、今朝はまだ休まれているわ。もうすぐ朝食が用意できるわよ。」

その朝、三人はそろって朝食を食べた。台所の隣の六畳に低い丸テーブルがあり、その上に節子が用意した質素な朝食が載っていた。庭の小さな家庭菜園から摘んだ青菜を刻んで入れた味噌汁、芋粥、大根の漬け物。小皿に盛った三切れの南瓜の煮物。

節子が朝食の前に小さな祈りをささげた。「神さま、新しい一日を感謝いたします。昨日から我が家に新しい家族をお加えくださったことを心から感謝します。樫村和夫君のここでの新しい生活を祝福してください。主人の健康をお守りください。今日も私たち一人ひとりが神さまと共に歩めますように。朝の糧を感謝いたします。イエス様のお名前によってお祈りします。」

突然の祈りに和夫はびっくりした。それは幼い頃、両親が食事の前に祈った祈りと似ていた。この人たちはもしかしたら……。

「あ……あの……、去年は妹のことでありがとうございました。」

和夫は鈴子のことを思い出して、再びぎこちなく礼を述べた。

「妹さん、気の毒だったね。あの時、君があんまりしょんぼりしていたので、とても気になって森田さんに君のことを少し聞いてみた。家もご両親も亡くして、今までさぞ苦労しただろう。そう思ってね。それとなく頼んでおいたんだよ。」

「えっ……頼むって、でも、どうしてぼくのことを?」

「うむ、実はね、私たちには息子が二人いた。その二人ともが今度の戦争にとられて、戦場に出かけた。戦争が終わる三年前に長男は小笠原諸島で、次男は一年半前、南洋諸島で相次いで亡くなった。それ以来、何か心がこう空っぽになったようで、生きる気力を失いかけた。だが神さまはそれではいけないと教えてくださった。今度の戦争では、多くの親たちが子どもを失ったが、一方では多くの子どもたちも戦災で親を失った。自分の子どもを失った悲しみを、親を失った悲しみの上にどん底生活をしている孤児たちを助けるために使いなさいと教えられた気がした。だから森田さんから妹さんや君のことを聞いて、君たちをあの生活から救い出すことが私たちに与えられた使命だと思った。でもあの時は、自分たちの家を焼かれてここに間借り生活をしている人たちが三人もいたんで、すぐには引き取れなかった。妹さんのことは本当に申し訳なかった。もう少し早くここに来てもらえていたら、命を救えたかと思うと申し訳ない。」

藤崎医師はそう言って、和夫に頭を下げた。その老いた目に涙が光っているのを見て、和夫は驚いた。こんな世にこれほど愛の深い人がいるなんてと思うと、暖かいものが心に広がった。

「和夫さん、そう呼ばせて頂だくわね。だからこの家では、私たちがあなたを助けたのではなくて、私たちがあなたに助けてもらったのよ。喜びと新しい希望が与えられたのよ。一緒に暮らしましょう。食糧不足でたいしたものは出せないけれども、あなたがこの家にいてくれるだけでも、私たちには生き甲斐と喜びが溢れてくるわ。」

こうして思ってもみなかった共同生活が始まった。新しい生活で一番うれしかったことは、母の死以来、転々と移動してきた住いが落ち着き、少なくとも雨露がしのげる場所が与えられたこと、貧しくても飢えの心配をする必要がなくなったこと、さらに自分をまるで本当の息子のように大事に思ってくれる存在があることは、何よりも大きな安心を与えた。

それまで和夫には、自分ひとりが生き残ってしまった後ろめたさと、母と妹を守れなかった罪責感がトラウマのようにあった。何故自分だけが生き残ってしまったのか。一緒に死んでしまっていれば良かったのに。そうした悲観的な思いが深く心の底によどんでいた。

しかし自分を助けてくれた老夫婦が、かけがいのない息子を二人も失ったことを聞いて、自分が恥ずかしくなった。命を大切にしなければ。自分のような者でも、何かの役に立つなら、生きていこう。いや生きて何かの恩返しをしなければ。ほのかな希望の光が心にともった。

11　砂漠の中の泉

それにしても戦後の生活は、戦中よりむしろ苦しかった。昭和二一年（一九四六）十二月にはシベリアからの引揚げ第一船が舞鶴に入港。栄養失調で、裸一貫の引揚げ者が六〇〇万人も帰国した。一方戦争孤児は十二万人。孤児施設へ入所したのはその一割で、多くの孤児たちは放置されて悲惨な道をたどっていた。

だが、藤崎家に引き取られた和夫はそんな荒んだ世界の中でも貧しいながらも幸せであった。

その頃、節子が几帳面に書き込んだ家計簿には、次のように物価が記されていた。

米　一回配給分　四二円三〇銭
麦　一回分　十七円九二銭
牛乳一か月　二四円〇〇銭
いわし配給　十五円四〇銭
卵　三個　二二円五〇銭

新聞代　八円〇〇銭
代用醤油一升　六十円五〇銭
みかん　五〇匁　三五円〇〇銭
水道料　九円〇〇銭

極端な物不足から、ほとんどあらゆる日常の必需品は配給制度に頼っていた。しかしその配給も米は不足して、ジャガイモ、さつま芋、大豆が代わりに支給された。時にそれすらも十分ではなく、道端に生えているタンポポやクローバーまで食卓にのぼることすらあった。

藤崎医院の猫の額ほどの小さな菜園には、節子が忙しい仕事の合間を縫って丹精こめて育てたヨモギ（餅草）や南瓜がみごとな実を結んでいた。

当時、お金や物が極端に不足した生活の中で、食べ盛りの青年を家族の一員に迎えることは、世の中とは真逆の行為だった。第二次世界大戦によって日本で生じた十二万人の孤児たちの九割が、親戚や知人に引き取られたが、恵まれた子はほんの少しで、ほとんどが言葉で言い表せないほどの苦労をし親戚から絶縁されたり、差別やいじめを受け、餓死寸前、人身売買、底辺生活、自殺未遂、虐待を受けた例が現実だった。

当時、配給されるお米は一人、一日一合、代用品として小麦粉が配給され、家では粉をついてパンやうどんを作り、飢えをしのいだ。こうした知識のほとんどは、森田五郎が売り物の新聞を読んで得たもので、五郎は世の中の些細なニュースをよく知っていた。

そんな記事の中で一番印象に残ったニュースは、昭和二一年三月十九日の「仁左衛門一家殺さる」という見出しで語られたある歌舞伎俳優一家の殺人事件であった。殺害されたのは当家の主人と家族と使用人二人の計五人。殺害理由は、日頃メリケン粉の多い食事ばかり食べさせられた使用人が、白米ばかり食べていた主人を恨んだことによるものだった。

和夫はこうした極端な食糧事情の中で、自分を家族の一員として迎えてくれた藤崎夫妻に深い感謝を抱いた。どうしてぼくをよりによって選んだのか、その本当の理由を知りたかった。何か深い訳があるのだろうか。

まだ家族の一員になったばかりで、和夫はひたすら医師夫妻の日常生活を支えることに努めた。その一つは配給された玄米を瓶に入れて棒で突いて精米すること、左手の不自由な節子の買い出しに付き添い、リュックを背負って隣町やその先の町の農家まで買い出しを手伝うこと。この頃は駅の一駅、二駅を歩くのはふしぎではなく、半日かけてジャガイモや野菜を背負って運び、食事のための燃料集めに薪拾いに出かけた。

ふしぎな導きで和夫の母親代わりになった藤崎節子は六十一歳。若い時は太洋鉱山病院で婦長として働いていた。森田五郎の妻はその下で見習い看護婦として三年間訓練を受けたことがあった。

節子は闊達で、しっかり者の女性だった。だがそうした女性にありがちな厳しさや冷たさはなく、愛に溢れていた。藤崎夫妻との生活に慣れるうちに、和夫の心に一つの希望が芽生え始めた。
こんなに愛のある、善良な人たちに出会えたのだ。いつか自分も高校に入学して、もっと勉強したい。そして自分を助けてくれた人たちにお礼をしたい。心の底に小さく芽生え始めた希望を抱きながら、日々を一生懸命過ごした。

ある秋の終わりの午後、和夫は用事の帰りに、昔よく通ったことのある近道に太洋第二高等学校の崖の下を歩いている時、背後からふと聞こえてきた美しい合唱の歌声にいつの間にか足をとめた。それは久しぶりに聞く歌声だった。確かその歌は以前聞いたことのあるシューベルトの歌曲集「冬の旅」の第五曲「菩提樹」という曲だったと思い出した。崖の上の運動場で女学生たちが数人集まって合唱の練習をしているらしかった。

泉に添いて　茂る菩提樹
したいゆきては　うまし夢見つ
みきには彫りぬ　ゆかし言葉
うれし悲しに　といしそのかげ

高く澄んだ歌声が心に滲みた。
和夫がこの歌声を耳にしたのは二度目だった。一度目は確か戦争中の爆撃の合間で、鈴子をつれて空襲の真只中を逃避行しながら太洋高等女学校の仮校舎の南側にある小高い丘を通りかかった時だった。季節は初夏、あの最初の空襲の時だから六月だったかもしれない。その丘の斜面には以前から野生のすずらんが土手一面に咲き乱れていて、女学生たちが「すずらんの丘」とロマンティックな呼び名をつけていた。あの時は時ならぬ美しい歌声が、空襲の切迫した状況下で胸を締めつけられる思いがしたが、今はそれを聞いて平和が再び戻ってきた喜びと共に安心感が胸一杯に広がった。

まもなく和夫は藤崎夫妻の尽力で、昭和二十一年（一九四六）十一月から、太洋小学校の中等科に通えるようになった。本来なら、和夫は昨年の春、中学校を卒業するはずだったが、通っていた山川尋常小学校中等科は七月に焼失して、卒業式もなかった。しかも中等科時代の半分は強制的に工場勤労奉仕に駆り出され、授業をほとんど受けられなかった。その欠けたところを色々とつないで何とか中等科に転入手続きをして、力強い助けとなってくれたのが節子だった。

「和君、中等科の古い建物はまだ復興していないので、青年学校の焼け残った校舎を借りて授業を受けるのよ。でもほとんど青空教室だから、雨の日は休校ですって。」

そんなことはちっとも構わなかった。どんな状態でも、再び学べるということは夢のようだ！と和夫は心の中で喜びで飛び上がった。あれほどあこがれた夢が、現実になりつつあるのだ！

三年三組。

教科書や筆記用具、そして色あせた半紙を数枚重ねたノート、鞄、学生服、学校生活に必要なもののほとんどは、節子がどこからか調達したり、また息子たちのお古だったりしたが、和夫は気にしなかった。

これでやっと外で同級生たちに会っても、泥棒のようにこそこそと身を隠す必要がなくなった。

「髪の毛を刈ってあげるわ。」節子は熟練した看護婦らしくバリカンを出してきて和夫のボサボサに伸びた髪の毛を刈ってくれた。仕上げが終わると「あら、ハンサムになったわね」と照れる和夫の肩をポンと叩いて笑った。その屈託のないほめ言葉に、和夫の顔に久しぶりのはにかんだ笑みが浮かんだ。

古びた鞄、靴、勉強道具一式、学生服もお古なのにもかかわらず、飛び上がるような嬉しさがこみあげた。

母を失ってから約二年間は、深い霧の中に閉じ込められて、羅針盤のない旅をしているような不安と孤独と恐れに常に付きまとわれていた。しかしさすらいの旅は終わった。今やっと正しいスタートラインに立った気がした。一生懸命勉強しよう。沢山本を読もう。父と母がぼくに正しく生きるように願ったその道を何とかして見つけ出そう。

新しい決意が和夫の心に芽生えた。そしてさらなるもう一つの決意は、親戚でも知り合いでも何でもない孤児の自分を、ただ一方的に包み込むような愛と受容をもって受け入れてくれた藤崎夫妻に対する感謝を生涯決して忘れまいとする思いだった。

父が戦死してからの数年、母は貧しい生活の中で多くの人々の助けと好意で救われ生きていた。その度に「どんなに貧しくても礼節を忘れないで」、「礼節を守って」とよくこの言葉を使った。ある時、「礼節ってなあに?」と母に聞くと、「感謝を忘れないこと。貧しくてもひねくれたり、卑しい心を持たないことよ」と答えた。不思議な導きで生活を共にするようになった藤崎夫妻こそ自分の人生で一生涯、母が教えてくれた礼節を守る対象になる人に思えた。

太洋市で藤崎医院を約五十年近く営んできた藤崎洋平は六十五歳。父の代からの医者の家系で、妻の節子は昔、太洋鉱山病院で長く看護婦として働いていたが、結婚以来、夫のよき片腕として頼もしい存在だった。この医院には数年前まで事務員や看護助手もいたが、第二次大戦が始まってから、彼らは召集や疎開で医院を離れ、また、ゆくゆくは父親の後継者として医院を継ぐはずだった駆け出しの内科医だった長男洋一は三年前、出征して戦死、一方、東京の医科大学で研修医として働いていた次男の洋次も召集され、南洋諸島で相次いで戦死した。

その日以来、二人は深い悲しみと失望の日々を過ごしてきた。それだけではなくそれまで二人が長い年月通ってきた教会が、昭和二十年（一九四五）七月十九日の空襲で礼拝堂、幼稚園、牧師館の一切が焼失して、信徒たちは離散。牧師一家も着のみ着のままで近くの村に疎開し、仮住いをしていた。

その年のクリスマスは相次ぐ喪失に心沈む日々だった。クリスマス・イヴの日、ロウソクの光で二人が聖書を読んでいる時、節子が急に声をあげた。

「『光はやみの中に輝いている。やみはこれに打ち勝たなかった』（ヨハネによる福音書1章5節）。そうだわ、闇が深い時こそ光はいよいよ明るく輝くんだわ。」

「それはそうだが、君がそういう時は何か特別なことを思いついたのかな。」

「わたしたちは今息子を二人失い、教会も焼けてしまった。これは私たちにとって一番大きな、深い闇でしょう。人生を託し、未来を託した大切なものを三つも失ってしまったんですもの。だからこそ、神様はこの真っ暗闇の中に一層輝いてくださるとお約束してくださったのよ。神様は必ず焼けた教会をもう一度再建してくださり、この太洋町の上に光を降り注いでくださるだけではなく、私たち一家にもきっと新しい希望を与えてくださるはずだわ。」

「まさかお前が、この年でもう一度子どもを産むなんて言わないだろうね。サラじゃないんだから。」

少し元気が出た洋平が妻をちゃかして冗談を言った。

「さあ、どうだか分かりませんよ。神様って、思いもよらない奇跡を働くお方ですからね。」

それから二人は信仰をもって、神様がこの藤崎家の闇の中に新しい光をともしてくださるように祈り始めた。それから数か月後、藤崎節子は鈴子に出会い、そして和夫に会った。その時から二人は、この兄妹を自分の家に迎えたいと祈りを始めていた。

しかしその後の数か月も藤崎家の闇は続いた。三人の間借り人たちはなかなか行先を見つけられないで狭い家を占領し続けたし、折角、五郎を通して接触の糸口を与えられて預かった鈴子も短い間に極度の栄養失調と敗血症から、あっという間に死んでしまった。

二人はその後、それまで抱いた新たな希望が一瞬の強風に灯りを消され、再び戦時中のあの灯火管制の日々のように、忍耐の日々を過ごさなければならなかった。相次ぐ失望と落胆。やはり和夫をこの家に迎えるのは不可能なことなのだろうかと思い始めた時、突如、事態が動いた。六月十日の空襲と七月十七、十九日の艦砲射撃と焼夷弾でそれぞれ家を失って間借りしていた三人が、急に故郷や東京に仕事や居場所を見つけて太洋市を去ることになった。それが丁度、森田五郎が新しい仕事を東京に見つけて上京する数日前のことだった。

「何もかも神さまは私たちの心のうちをご存知で、導かれるのね。」節子が感嘆したように言うと、藤崎洋平はニヤリとして「これで君も三人目の息子を頂いたね」と妻の肩をポンと叩いて、笑った。


一方、心から希望していた学校生活に舞い戻った和夫は、休み時間になるとすぐポケットから岩波文庫などを取り出して読みふける級友の姿に強い感銘を受けた。戦前、戦中は学校に通っていたとは言っても、終わり頃は学徒動員で工場の奉仕作業や食糧増産の働きを大人に混じって強要され、クタクタに疲れて勉強どころではなかった。今は校舎が焼失し、雨の日は授業は休みであったが、そんな日は出来るだけ家で節子の掃除や普段出来ない力仕事を手伝えることがうれしかった。

ただ学校で和夫の心を痛めたことがあった。黒塗りの教科書の出現だった。天皇と軍国主義に関する記述は、文部省（現在の文部科学省の前身。）の指導であれほど大切にするように厳しく言われた教科書を墨で塗り潰さなければならなかった。

しかしその他のことでは、学ぶことについては猛烈な向学心に火がついた。貪るように本を読んだ。幸いなことに藤崎医師は自分の書斎の本棚の書物を自由に読む許可を与えてくれただけではなく、亡くなった息子たちが残した沢山の本も惜しげも無く使わしてくれた。そこには膨大な医学書だけではなく、多くの世界文学、日本文学全集、さらに多くの信仰書や聖書注解書のようなものが、床から天井までぎっしり詰っていた。和夫は午後四時半に中学から帰宅すると、忙しい節子の台所仕事、雑用、薪拾い、庭の薪割りと風呂炊きなど、何から何まで手伝い、夜は十一時過ぎまで学びや読書に没頭した。

一方、藤崎医師の一日も、和夫以上に多忙だった。早朝の起床、午前中は診察室で外来患者の診察、検診、診療。午後は自転車で往診や町から依頼された検死の立ち合い。緊急の呼び出しでかなり離れた遠隔地への出張、時に深夜に急な往診を頼まれて、二、三日がかりで難産に立ち

合って、夜明けにクタクタに疲れて帰宅する日などもあった。そんな時はかつて助産婦も勤めたベテランの節子が病院の留守番を勤めた。ただ節子は戦時中飛んできた砲弾の破片で左手を怪我してから、細い仕事や、力仕事が苦手だったので、和夫は重いものの移動、運搬、修理の仕事を自ら買ってでた。

「あなたが来てから、大助かりだわ」と節子は喜んだ。

そんな日々の中で和夫は節子が仕事をしながら、よく歌を歌っていることに気がついた。

「はるかにあおぎみる　かがやきのみくにに
ちちのそなえましし　たのしきすみかあり
われら　ついに　かがやくみくににて
きよき　たみと　ともにみまえにあわん」
（讃美歌　五六三番　日本基督教団賛美歌委員会編　日本基督教団出版局、現行讃美歌四八八番）

和夫は節子の歌を最初はそれが単なる鼻歌だと思って、気にも留めなかった。しばらくして度々耳にするうちに、どこかで聞いたことがあるメロディだと気がついた。遠い昔、自分が幼い頃、よく耳にした郷愁を誘う響があった。一体、どこで聞いたのか……。忘れられなくなったメロディをくり返し心の中でハミングするうちに、ついにある日、節子に尋ねた。

「その歌は何の歌ですか？　前にどこかで聞いたような気がします。」

「この歌は讃美歌よ。私たちは息子二人の戦死の知らせを受けた時、この讃美歌をお墓の前で歌ったの。天国の歌よ。神さまを信じる人は、たとい肉体は死んでも、魂は永遠に生きているの。復活の命を頂いているから。死は最後の別れではないわ。天国でもう一度会うことが出来ると思うと、希望が沸いてくるの。聖書には『私たちの国籍は天にあります』（ピリピ人への手紙3章20節）。と書かれているわ。『父のそなえましし　たのしきすみかあり』って歌ったでしょう。そこがイエス様を信じる人たちの永遠の住家であり、また愛する人たちとの再会の場所なのよ。」

節子の説明で、和夫は初めて気がついた。出征した父の遺骨が白木の箱に納められて戻って来た時、母がその箱を前に歌っていたのはこの讃美歌だったのだと。それだけではなく鈴子のささやかな葬式で歌ったのもこの讃美歌だったこともようやく思い出した。

そんなある日、節子と何気ない雑談をしている時、節子は死の直前の数日を共に過ごした時の鈴子の様子を詳しく和夫に話してくれた。

「私が鈴ちゃんと出会ったのは、亡くなる半年前に一度、ほらあなたが森田さんと東京に出掛けた二日間と、その後、体調を崩して医院で過ごした時の二回だけだったけれど、その時、私たちは本当の親子のようにすばらしい時を過ごしたのよ。初めての時、鈴ちゃんはあなたと初めて離れて過ごすのが寂しくて、心細そうだった。だから夜になって寝る時に、私は同じ布団に一緒に寝て、あの子を両腕で抱いてあげたの。そしたら鈴ちゃんはまるで赤ちゃんのように丸まって、私の腕の中で朝方までぐっすり眠ったのよ。私も娘ができたようでとてもうれしかったわ。それから数か月後、二度目に病院に来た時は、熱があって苦しんでいた。その時も私が夜、同じ床に寝かせて布団の中で抱きしめてあげたら、ほんとうに熱で顔が赤らんで苦しそうだったけれども、とろとろ、とろとろと腕の中で眠ったのよ。そんな日が二、三日続いたわ。その時、私はいつも讃美歌をいくつか小声で歌ってあげたわ。『主われを愛す　主は強ければ　我弱くとも恐れはあらず……』とか、そう『いつくしみ深きとか』。熱と痛みでとても苦しかったと思うけれど、歌っていればほんのちょっとだけ痛みが和らぐような気がして、最後の時までずうっと天国の歌を小声で歌ってあげていたの。」

和夫は初めて聞く鈴子の最後の時の場面を思い浮かべて、危うく涙が出そうになった。

「ふしぎねえ、私は男の子しか育てていないから、息子たちをあんな風に小学生になってまで胸に抱いたりしたことはなかったわ。でも鈴ちゃんはまるで年がずっと離れた末娘のような気がして抱きしめずにはいられなかったの。だって神様は私たちが辛い時、苦しい時、恐れのある時、戦いや不安で一杯の時、私たちをいつもそんな風に胸の中に抱きしめて、励ましたり、慰めたり、時にはおぶって運んでくださるんですもの。」

和夫はその時、節子から鈴子が亡くなる前、「ベツレヘムの星が教えてくれた場所にもう少しで着く……」と言った鈴子の言葉も思い出した。言葉の意味を深く考えず、いい加減に答えていたが、「かがやくみくに」の歌と「ベツレヘムの星」が導く所とは、何か関係があるのだろうか。

和夫はその時からこの讃美歌が忘れられなくなった。そのメロディを口ずさむと、今まで自分の心の奥底で絶えず責められてきた鈴子への罪責感や死への恐れや不安が引き上げられる安らぎを感じたからだった。

忙しい日々が過ぎた。

毎朝、約三十分歩いて中学校に出かけ、午後四時半に帰ってくると焚き木拾い、薪割り、庭の野菜作り、町内会の仕事、家の掃除、皿洗いなど出来る限りのことを手伝った。夜は比較的自由だった。息子たちが以前使っていた六畳の一間に古い勉強机があり、そこが和夫の部屋となった。隣接する四畳半は片側に小さな出窓があり、反対側にずらりと本が詰った木製の本棚が壁一面、天井まで続く光景は、さながら古本屋の店内のような風景だった。

書棚の本はほとんどが専門の医学書だったが、上の段の書棚は初めて見るような部厚い書物でしめられていた。手を伸ばして一番取りやすい場所にある、やや色褪せた背表紙を読むと『聖書』と金色の大きな太文字で書かれてあった。『マタイによる福音書』『ヨハネによる福音書』『注解書』などは、どうやらキリスト教に関する書物らしい。

「本が焼けなかったのは、ありがたい。戦時中はここに並べられない本もあったけれど※」と藤崎医師が何度かそう語るのを耳にした。

ある夜遅く、和夫が勉強を終えて本棚をいつものように興味深く見つめている時、背後からいきなり声がした。

「どうだい。何か興味がある本が見つかったかな。」

いつの間にか帰宅したらしい老医師がすぐ後に立っていた。

「えっ、はい、ただ……沢山あるので、見ていただけです。」

「何も遠慮することはない。ここにある本はどれでも自由に読んでいいんだよ。医学書は専門家以外は用がないかもしれないが、こっちは万人向き。むしろ一人でも多くの人に読んでほしい本だ。」

藤崎医師が示した本の方に目を向けると、それは今まで何度も目を留めたあの黒表紙に金色の字で『聖書』と書かれた部厚い本だった。確か父も『聖書』を持っていたが、もっと小型で、表題の字も灰色がかっていた。

「君にその本をあげるよ。是非読んでくれたまえ。この本は世界で一番読まれてきた永遠のベストセラーで、君の人生の羅針盤になってくれる。英語で『ザ・ブック』というと、この本のことだよ。」

「は……はい。ありがとうございます。」

和夫は医師が棚から取り出して無造作にプレゼントしてくれた部厚い本をたじろぎながら受け取った。

藤崎洋平がくれたどっしりした本は、新品ではなかった。それどころか誰かが熟読したらしく多くの頁に赤線が引かれ、沢山の書き込みがあった。本の最後のページの左下に、元の持主が藤崎洋一と名前を書き込んでいた。和夫はその本が戦死した息子が愛読した『聖書』だと分かった。

孤児で、身元も分らない自分に、思い出のあるこんな大切な形見をくれるなんて。和夫は藤崎医師の愛の深さに胸が熱くなった。ただの一時的な同情ではなく、もっと深い確かな決意と愛情をもって自分をこの家の本当の息子として引き取ってくれた深く、暖かい心情がはっきりと分かった。この人にずっとついて行こう。そう決心した。

多忙なゆえに藤崎医師と話をする時間はごく短く、限られていたが、朝は必ず一緒に小さな丸い卓袱台で食事をし、短く聖書を読み、お祈りをした。

「お父さんはね、あなたがこの家に来てくれたことをとても喜んでいるのよ。口ではあまり言わないけれども……。そしてわたしもとても幸せよ。あなたが来てくれて。」

そう語る節子の顔にも、言葉にも深い喜びが満ち溢れていた。

※　藤崎家は祖父の時代からのクリスチャンで、戦時中は台所の床下にこれらの本は隠されていたのだった。

12　クリスマス・カードの謎

昭和二二年（一九四七）、こうした背景の中で戦後二年目を迎えた太洋市は、二一年六月の復興祭を迎えた後、壊滅的な打撃を受けた廃墟から不死鳥のように立ち上がりつつあった。

三度にわたる陸、空、海からの破滅的攻撃を受けた市の工場の多くは、早くも復興の途上にあり、街の至る所で新しい工場や建物が見られ、新しい家屋の再建のつちの音が響き、忙しく働く人々の姿を見かけた。

そうした希望の光が、和夫の心から自分ひとりが生き残ったという後ろめたさや、トラウマから開放されつつあった。心の底にいまだに鈴子を守れなかったという罪責感が残っていたものの、藤崎夫妻の深い愛が和夫の心の中の良心の痛みを和らげた。一生懸命勉強しよう。自分はこれから何を学び、何をするべきかをじっくり考え、自分を新しい人生に引き上げてくれた藤崎夫妻の恩に報いよう。

和夫は真面目に学校に通った。しかし二年にわたる学業の空白は、当惑うことが多かった。かつて戦争中和夫が通っていた松川国民学校は生徒数が四千人を越えたマンモス校で、当時は教師の数だけでも一六〇人はいた。ここ数年の間に学校も小学校が尋常小学校から国民学校へとかわり、今また小学校六年、中学校三年、高等学校三年という新しい六・三・三制の教育制度が施行された。

実家のあった山川町から新町に住いが変ったために、新しい学校には顔見知りの生徒は誰もいなかった。それ以上に驚いたことは、戦前戦中、あれほど大切にされていた教科書に墨を塗るように指導されたことだった。戦前の軍国教育で第一番に強制された奉安殿（注・第二次大戦前、戦中、学校で天皇陛下の御眞影や教育勅語などを保管するために設けた特別な建物）の礼拝や、徹底的に正確に暗誦を強要された教育勅語の暗誦もなかった。

軍国主義とは、一体何なんだったのだろう。それには人の心を恐怖で束縛する一方的な強制と体罰が伴っていた。美しかった太洋高等学校の新校舎も新築間もなかった松川国民学校の建物もみな一瞬のうちに瓦礫（注・瓦と小石、破壊された建造物の破片）と化してしまった。

戦争とは国と人間と土地の破壊だと分った。歴史が好きだった和夫はそれまで外国や日本の歴史を通して、争いや戦いが自然に発生するものではなく、多くは人間の高慢と自己中心――土地や地位や権力、金銭にまつわる欲望――自分が支配者になりたい人間の支配欲と欲望から発生し、小さな争いが部族間、領土間、または他国間へと次第に拡大し、それがやがて世界大戦を引き起こしたことが分ってきた。

この高ぶりと自己中心の欲望が、美しく平和な土地を荒廃した土地に変え、幸せに暮らしていた人々の生活や家族を無惨に引き裂いて、戦争孤児がどれほど荒涼とした土地に投げ出されてしまったことだろう。だから……だからこそ戦争は絶対に二度としてはならないものなのだ。

しかし今はいくら涙を流し、心の底から叫んでも、失った家族は……二度と戻ってこない。しかし心をえぐる深い悲しみと喪失の一方で、自分は思いがけない導きによって血肉によらない新しい家族に迎えられたのは、なんという幸せなんだろうか。

和夫の心の中では、この二つの感情——喪失の悲しみと喜び——と感謝の気持ちがしばしばせめぎ合い、最近は後者が勝り始めていた。

それは駅前の闇市や復興中の駅舎の前の歩道を通りかかった時、白衣を上下にまとった傷痍軍人が失った片手を見せて、道行く人々に募金箱を差し出す姿や、闇市の食堂の前にたむろする同い年位のボロをまとった少年の姿を見かけたりする時などであった。一種の申し訳なさと共に、自分は今砂漠の中で泉を見出したような日々を送っていることを改めて思い起こし感謝に溢れた。

この現実の世界が滅茶苦茶になっても、変らないものって世界にあるのだろうかとふと考えた。とにかく、今は太平洋のような大海の中を行き先も知らずに泳いでいる人生の中で、ほのかな灯台の光を見出した時のような安心感が何よりもありがたかった。

藤崎家の住人となってから、一年が過ぎた。十七歳になった和夫は背丈は伸びたものの、やせて、ひょろひょろとした体型で、少年から青年期に入りつつあった。

この一年の間に、和夫と藤崎夫妻との関係は実の親子のように絆が深まっていた。そして藤崎夫妻との距離が縮まるにつれ、今まで心の底まで滲みついた孤独感が癒されていくのを感じた。それが不思議だった。

世間では戦争で家を焼かれ、家族を失った多くの孤児たちや被災者たちが、親戚や知り合いや近所の人たちと共同生活をして、ある家では最盛期には十四人、あるいは十人位の同居生活を余儀なくされていた。そこから聞こえてくるのは不本意な突然の共同生活から生じたさまざまな軋轢の不協和音、喧嘩、いがみ合い、虐待、あるいは時に殺人事件すら発生していた。

だが全く見ず知らずの藤崎夫妻と和夫との間には、諍いや不協和音は全くなかった。新聞でそうした不幸な揉め事が事件の発端となった記事を読む時、和夫は自分と藤崎夫妻との生活の不思議を考えてみた。

よく考えると藤崎医師はかなり普通の人々とは違っていた。まずこの家は朝毎に、短いながらも聖書を読み、祈る習慣があった。どんなに忙しくても、あるいは疲れていても藤崎洋平と節子は四畳半の部屋の小さな丸テーブルの前に座って、聖書を開いて読み、主の祈りを唱え、感謝を口にした。

十七歳の和夫には、それがクリスチャンの家庭の朝の祈りだと分かった。そしてこの夫婦の祈りは、神さまとの会話であり、その会話を通して神さまの愛が自分や他の多くの人々に注がれている不思議に気がついた。その発見を通して、和夫はさらに自分の亡くなった両親が同じ愛をもって自分と鈴子を育ててくれたことに気がついた。「神は愛なり」（聖書 Ⅰヨハネ四・一六）と父はよく言っていた。

振り返ってみると遠い昔の幼い記憶の中に、庄屋の家屋敷のような大きな建物に行ってクリスマスを過ごした夜のことをおぼろげに思い出した。真っ赤に燃えていたストーブのこと、木製の建物の正面には大きな十字架がかかっていた。すると突然、鈴子と自分が宝物のようにブリキの筆箱の中に入れてリュックサックで持ち歩いた「ベツレヘムの星」のカードも、もしかしたらそこでもらったものではないかとふと思いついた。自分はその頃7歳位で、鈴子はまだ赤ちゃんだった。それからまもなく父は出征し、その後、教会に行けたのは僅か数回にすぎなかった。

そんな思い出を巡らしているうちに、和夫は、はたと一つの疑問にたどりついた。

ある夜のこと、藤崎医師の帰宅が夜中になるという報告を受けて、二人で夜を過ごしている時、和夫はためらいがちに節子に疑問をぶつけてみた。

「もしかしたら、先生たちは松川町の国道沿いにあった本間書店の隣にあった松川教会に昔行ったことがありますか?」

「本間書店の側にあった松川教会ですって? ええ、よく知っているわ。わたしたちは戦災で焼ける前まで国道沿いのその教会にずうーっと通っていたのよ。父の代から。残念なことに本間書店も松川教会も空襲で焼けてしまったけれど……。でも、もしかしたら、和君も幼い時行っていた?」

「はい、両親はたぶん。でも、ぼくはその頃まだ小さくて、ほんの一、二回行っただけです。その後、父が戦争に行って、母も多分、鈴子が小さかったのであまり行けなかったかも。……覚えているのはちょっとだけです。大きな体をした外国の人がいて、ぼくのことを膝の上に乗せてくれました。それと若い学生のような人が教会学校の先生をしていて、一緒にカードを作って貰いました。」

「手作りのカードですって？」

その時、今までゆったりと会話をしていた節子の目がはっとしたようにキラリと光ったのに和夫は気づかなかった。

「そのカードには、どんな絵が描いてあったの？」

「右の上に大きな黄色い星が輝いていて、砂漠のような土地を遠くから旅してきた三人のラクダに乗った旅人が、星に導かれて旅している絵です。」

「ベツレヘムの星ね。」

「えっ、知っているんですか。そのカードを？」

「ひょっとしてそのカードは、亡くなった息子の洋一が大学生の時、教会学校の先生をしていて、『クリスマスのプレゼント』だって、家で一生懸命下絵を描いていたカードではないかしら。洋一は手先が器用で、おまけに絵が得意だったので、その時のことはよく覚えているわ。」

「それじゃあ、鈴子と僕が今まで一番大切にしてきたこのカードは、洋一さんからのプレゼントだったんですね。そして……神さまがぼくと鈴子をこの家に導いてくれた。……」

和夫が語り終えない前に、節子はくるりと和夫に背を向けた。どうしたんだろう。僕が何かまずいことでも言ってしまったのだろうかと和夫が不審に思っていると、顔一面笑顔をたたえた節子が振り向いて、「神さまって、ほんとうにすばらしいお方ね」とぽつりと言った。「まるでよく筋を練られたお芝居のようだわ。亡くなった息子が、神さまの目に見えない糸にたぐられて新しい息子をこの家に導いてくださったのですもの。」

　和夫は笑顔の節子の片方の目の端から、涙がスウーと流れ落ちるのを目にした。初め和夫はいつも気丈な節子が何故急に涙を流したのか、理由が分からなかった。それでももう一度、事の経過をよくたどって考えてみた。

　十年以上も前のクリスマスのこと――節子と和夫がクリスマスの夜、奇しくも同じ教会に出席していた――しかもそこには節子の息子洋一が大学生で教会学校の幼児クラスを担当していた――その時、絵の得意な洋一は幼児だった和夫に自作のクリスマス・カード「ベツレヘムの星」をプレゼントしてくれた。このカードが不思議な出会いと神さまの導きで、今日まで樫村家と藤崎家との間をつないでくれた証拠となった。こうしたことが謎解きのように分かり、節子がこの奇しき出会いと再会、そして神さまの愛の導きに感動して涙を流したのだとやっと分かった。

「うれしいわね。そんな前から、私たちは家族になるようにと不思議な導きがご計画されていたなんて。私たちはずっと前から神さまの家族だったのよ。」

「うれしいです。」

　和夫は離れ離れになっていた親族が、大きな災害をこえて再会した時のような深い喜びを感じた。

と同時に教会のことが気になった。

「それで……松川教会は、これからどうなるんですか？」

「軍国主義は、キリスト教は西洋、つまり敵国の宗教だからいけないと圧力をかけてきて、幼稚園は閉鎖され、礼拝だけは特高の監視付きで細々と続けられてきたけれども、昭和二十年（一九四五）七月十九日の空襲で礼拝堂や幼稚園、牧師館までみんな焼けて、灰になってしまったのよ。でも大丈夫。牧師先生一家も着のみ着のままで疎開されたけれども、お元気で、新しい教会を再建しようと祈っておられるわ。どんなことがあっても大丈夫。神さまは生きて働かれるお方よ。『わたしはあなたがたのために立てている計画をよく知っている』とお約束くださったの。『それは平安を与える計画であり、あなたがたに将来と希望を与えるためのものだ』とお約束くださっているわ。（聖書　エレミヤ書二九・十一）今、平沢先生ご夫妻は焼け残った信徒の方の家で小さな集会

を始めておられるわ。平沢四郎先生は鈴ちゃんのお葬式で沢山のお花を持って来て、式をしてくださった先生よ。」

和夫は平沢先生という名前を聞いて、温和な顔に丸眼鏡をかけた素朴な顔を思い浮かべた。

「うれしいことに今、太洋工場の元女子寮跡に新しい敷地を買って、そこに仮の会堂を建てる計画が少しづつ進んでいるところよ。その場所は戦争中、高射砲が備えられていて、高射砲部隊が沖合に停泊するアメリカ軍の艦砲射撃に応戦していた場所なの。神さまのなさることってすばらしいわね。これからはその丘が神さまの愛を太洋市や周辺の人々に伝える場所になるのよ。それにその場所は元の場所よりも倍も広い面積の敷地よ。」

生き生きと未来を語る節子の顔を見ながら、和夫はつくづくこの人は強い人だと思った。自分たちの将来を託そうとした二人のかけがえのない息子を失っても、決してメソメソしたり、落ち込んだりしない。その目は自分や失ったものにではなく、常に他者と天に向けられていた。ある時、森田五郎が節子のことを評してこう語った言葉をふと思い出した。

「あの人には流石の俺もかなわないよ。なにしろあの人には神さまが味方なんだから。」冗談めいた言葉のどこかに茶化したものの尊敬の響きがあった。そして和夫はその言葉に母のことを思い出した。二人に共通するものは、厳しい現実に対するたゆまぬ忍耐と信仰だと思った。すると母の顔が思い出され、目の前にいる節子と顔が重なって、俄かに暖かいもので心が包まれた。二人の母。ぼくはこの家の家族となって、幸せなんだ。

「ベツレヘムの星」のカードとの不思議な出会いを知ってから、和夫の心は急速に神の存在に惹かれていった。神さまをもっと深く知り、神の愛をもっと得たかった。

その時から和夫は藤崎医師にもらった聖書を熱心に読み始めた。

「神は愛です。愛のうちにいる者は神のうちにおり、神もその人のうちにおられます。」（ヨハネの手紙第一　四章一六節）

この聖書のことばを読んで、藤崎夫妻が愛に溢れている理由が分かった。二人のうちには神がおられ、神が二人の心を愛で満たされていることがはっきり分かった。

一方、自分の心を見ると、愛がないのが分かった。鈴子を死なせたのも、自分が自己中心で、鈴子がどんなに心細く、死ぬほど寂しかったのを気がつかなかったからだ。鈴子の霜焼けとあかぎれで血が滲んだ小さな両手を思い出す度に、自分の冷たさに心が激しく責められた。心の苦悩の解決を求めて和夫は聖書を度々めくった。

ある時、藤崎医師の書棚を眺めていた和夫は、ふと本棚の上段にあった『聖書辞典』という部厚い背表紙の本に目を留めた。興味をそそられて手を伸ばして本を取ると開いた。「ベツレヘム。」今まで何度も耳にしたが、それがどういう意味か知りたかった。頁をめくって開くと、あった……。「ベツレヘム、エルサレムの南八キロの町、ダビデの生誕地……ここで救い主が誕生された（マタイの福音書二章一節)」と書かれてあった。

そうか。ベツレヘムは救い主がお生れになった場所なのだ。その救い主は両親や藤崎夫妻が毎日お祈りする時呼びかけているイエスという人らしい。

和夫は辞書の隣にあった小型の『新約聖書』を取り上げて、今度はその書の一番初めの方をぺらぺらとめくって、マタイによる福音書二章一節に目を止めた。「イエスがヘロデ王の時代に、ユダヤのベツレヘムでお生まれになったとき、見よ、東方の博士たちがエルサレムにやって来て、こう言った。」この箇所を読んだ時、和夫は初めてあのクリスマス・カードの意味が分かった気がした。「そうだ、星に導かれて旅をしてベツレヘムに行く旅人は、この東方の博士たちなのだ」と思いついた。

この時を期に、和夫の救い主という神に対してさらなる興味が深まっていった。

こうして藤崎家での和夫の生活は深みと落ち着きを増し、次の年の春、和夫は一年遅れで中学校を無事卒業した。

そんなある日、藤崎医師は和夫を呼んで温情溢れるまなざしで和夫をじっと見つめた。

「卒業おめでとう。さて君はこれからどうしたいんだい。新しい仕事を見つけて家から巣立っていくか、それとも何か計画があるかな。」

「ありがとうございます。あのう、よかったらぼくをもう少しここに居させてください。出来たら高等学校に進学して、卒業したら自立します。それまでは昼間は仕事を見つけて働いて、夜学に通わせてもらえたら、下宿代は払います。お願いします。」

和夫は頭をさげて頼んだ。

「そんなことはいいんだよ。君は私たちが君を助けてきたと考えているだろうが、実際は、君がここに来て私たちを助けてくれたんだよ。喜びと希望を与えてくれたからね。君がここにいたいのなら、いつまでもいてもいい。しかし私たちには君の将来や自由を束縛する権利はない。だが節子は君の助けにいたく感謝していてね。君がいないと困るとまで言ってるがね。」

微笑みを含んだ藤崎の穏やかで、やさしい顔とその柔らかな物言いに、和夫はほっとして、心から感謝がこみ上げた。

この家に導かれて、自分は幸運だと思った。自分も大人になったら、藤崎医師のような人になりたいとさえ思った。

13
葛藤

平穏な日々が過ぎていった。和夫にとって藤崎夫妻との生活は心暖まる日々であった。

しかし、戦後二年を迎えた世相は相変らず厳しく、食糧難からくる犯罪も殺人的であった。東京では米よこせ運動が起こり、昭和二二年（一九四七）二月二五日には、八高線で悲惨な列車転覆事故が起きた。買い出し客ら一七四人が死亡。八百人が重軽傷をおうという戦後最初の鉄道大惨事だった。その頃は六百万人におよぶ復員兵や引揚げ者などで食糧事情は戦前よりさらに悪化し、食糧はまったく底をついて全てが混沌としていた。


この頃、日本中のほとんどの人々の欲望が「食べること」だけに集中していた。しかもその一方では、金さえあれば闇市では何でも手に入れることができた。

食糧難にからんだ殺人、強盗が各地に発生した。それに輪をかけたのが復員軍人による犯罪の増加などが日々新聞を賑わせた。これらの記事が一様に語るものは戦争による人の心の荒廃であった。

こうした殺伐とした世相の背景の中で、和夫の青春は過ぎていった。

昭和二二年（一九四七）二年間の空白を得て国民学校中等科を卒業する前に、和夫は藤崎夫妻から太洋中学の高等科に進む道を勧められた。だが和夫はこの親切にためらった。

何もかも甘えてはいけない。自分は男なのだから、自分の道は自分の力で切り開いていかなければならない。それが自我によるものか、昔の武士のような意固地な誇り、あるいはプライドによるものかは自分でも分からなかった。だが愛をもって接してくれる赤の他人に甘え過ぎてはいけないという妙なプライドがあった。

二人は和夫の辞退に少なからず失望したらしかった。けれどもそれを口を出さずに、節子が新しい提案を示した。

「それじゃあ、こういうのはどう。町の新聞で知った話だけど、焼けた松川中学校の建物が来年は新しい校舎を建てて県立太洋第一高等学校と改名して発足するんですって。それだけではなく定時制も併設されるそうよ。来年からは国民学校もなくなり、学制も小学校六年、中学校三年、高等学校三年、大学は四年間と以前とは全く変わるそう。和夫さんは学ぶことが好きだから、自分の道は自分で選びなさい。私たちはあなたの選択と意志を尊重して、陰で応援するだけ。あなたの好きなようにしなさい。」

そこで和夫は翌年の県立第一高等学校の入学試験勉強に励む一方、昼間は町の本屋で働き、空いた時間は手の不自由な節子の家事や買い出し、外廻りのほとんどの力仕事を受け負い、夜は深夜まで勉強に没頭した。

いくら親切で愛があっても、いつまでも藤崎夫妻のお世話になってはいけない。早く学校を出て、自立しなければ。そういう気持ちが心の片隅にあった。

昭和二二年(一九四七)、秋が深まりつつあった。空は連日快晴で、日ごとに紅葉を深める木々は、美しい装いを競っていた。

そんなある日の夕方、和夫は書店の仕事仲間と家に帰る途中、寄り道をして道沿いに建つ一軒の農家の庭にたわわに実をつけた柿の木を見つけた。食べ盛りの二人には、日頃の空腹を満たすまたとない誘惑だった。連れの友人は物を言う前に、飛び上がってしなやかに弧を描いた枝からひときわ大きな柿の実をもぎ取ると、がぶりと食らいついた。

「おう、うめえ、なんて甘いんだろう。おい、和、おまえも食べろ。」

その誘いにやはりお腹が空いていた和夫はためらうことなくすばやく飛び上がって熟した柿の実をもぎ取って食べた。あまりにもおいしかったので、二人は調子に乗って、立て続けに飛び上っては食べ続けた。一度、二度、三度、二人は言葉もなく、ただ食べることだけに没頭した。久しぶりのおいしい果物の誘惑は、十代の少年たちに我を忘れさせた。四度目に飛び上がろうとした時、突然、「泥棒!この野郎!」という割れがねのような怒号がしたかと思うと、顔を真っ赤にして棒を振り上げて駆け寄ってくる男の姿が家の横から飛び出してきた。

和夫と友だちはその姿と声に驚いて、一目散にその場から逃げ出した。後ろから石が飛んできて「泥棒！　泥棒！　盗人！」と連呼する怒鳴り声がいつまでも追いかけてきた。

坂の下まで一気に走り続けて、もう追いかけてくる者がいないと分かると、二人は大声で笑いこけた。

「あの爺々の顔ったら、凄かったなあ。まるで仁王様のように真っ赤な顔をして、棒を振り上げて怒っていた。あんなに沢山実がなっているのに、ケチだよな。一つや二つ……いや五個ぐらい食べても、どうってことないのに。ケチ、ケチ、ケチおやじ。」

友人はそう言ってまた笑ったが、和夫は笑えなかった。本当に悪いのは、どっちなのか。和夫は農夫がどんなに野菜や米を大事に育てているか、幼い時、北海道の開拓農家だった祖父の家に行った時、農夫がどれだけ畑の収穫物を大事にしているか知っていた。友人は農夫を「ケチ！」と呼んだが、和夫の心には「泥棒！　盗人！」と叫んだ男の真っ赤になった仁王のような顔と怒鳴り声がいつまでも消えなかった。

その時から新たな細波が和夫の心に立ち始めた。それは母と家を失い森田五郎に救われるまで、自分がどれだけ多くの他人の家の野菜や果物を無断で失敬して生きてきたかという過去の体験が思い出されたからであった。

それまでは過去のそうした全ての行為はただ生きるために仕方がないことだと思ってきた。その短い数か月の間、時にすももや大根を畑で失敬して、捕まって尻を叩かれたり、ののしられた時もあったが、孤児だと分かると逆に気の毒がって他の食べ物をくれた人もいた。

しかし藤崎家で生活するようになってから、節子が少しでも質素な食卓を潤そうと小さな庭に小松菜や青菜を丹精こめて育てている姿を見るようになってからは、自分のしたことはまさしく「泥棒！」と呼ばれても仕方がないのかもと思えるようになった。それと同時にまだ心の底では、今の時代はこうでもしないと生きていけないのかもしれないと反論する思いもあった。

森田五郎が闇米を食べることを拒否して餓死した裁判官のことを話してくれたことを思い出した。正しく生きるためには死を選ぶか、あるいは悪いと分っていてもそれでも生き延びるために悪を選ぶのか。

それに……と和夫は思った。あんなに沢山実っている柿をたった四～五個食べただけで、「泥棒！盗人！」と呼ばれるほどの罪なのか。全てが混乱して、全てが不足しているこの時代、この位のことが許されなければ生きていけない。ぼくは絶対に泥棒じゃない。そう断言しようとして、言葉が詰まった。もう止めよう。こんなちっぽけなことで悩むのは。こんなことを心の中で押し問題しているうちに、いつの間にか悪友と間隔を置くようになった。

ある夜、夕食後、片付けを手伝った後、落ち着かない心で藤崎医師の本棚を何気なく見ている時、自分の心の中にはどうも「罪」という言葉に激しく抵抗する自分がいることに気がついた。そういえば朝の短い祈りの時間に、藤崎医師が「十の戒め」について教えてくれたことを思い出した。初めの四つの戒めは神さまについての戒めで詳しいことはまだ十分に理解出来なかったが、後半の六つの戒めは人間に対する戒めで、かなり明白に記憶していた。

「あなたの父と母を敬え
殺してはならない
姦淫してはならない
盗んではならない
あなたの隣人に対して偽りの証言をしてはならない
あなたの隣人のものを欲しがってはならない」

そう言えば、幼い時、両親がこの教えをよく教えてくれた。その思い出もかなり助けとなった。けれどもほんの数個の柿の実を食べて「泥棒！」とののしられ、頭の後に石をぶつけられた鈍いかすかな痛みが、自分は本当に罪人だと断罪するのを認めたくなかった。「このくらいの罪だったら、誰だって犯している。戦争で滅茶苦茶になった混乱の時代は、こんなことでもしなければ生きていけない。」としきりに自己弁護する自己との内なる葛藤が続いた。

それからしばらくの間、和夫は休みの日になっても自分をわざと悪行に誘おうとする悪友を避けた。本屋の仕事は日曜日は休みだったので、藤崎夫妻が以前出席していた教会の信徒たちと家で持たれている小さな集まりに出掛けたりすると、かつて鈴子と一緒に歩いた高台の奥の山道や雑木林や畑のある小道を当てもなく歩き回った。

天気のよい、穏やかで、美しい季節だった。空は高く、青く、小さな斑点状の白い雲がところどころ群がり、広がっていた。

「あれはイワシ雲だ」と鈴子に教えたことがあったのを思い出した。「お兄ちゃん、あの白いもくもくした雲はまるで羊の毛のようだね。」「あの真っ青な空の中で泳いだら、気持ちいいだろうね。」山や海や空が大好きだった鈴子は、いつも自然を見て、こんなことを言っていた。

「鈴子みたいに素直で、優しくて、きれいな心になれたらいいのに」と思った。

ある晴れた日曜日の朝、和夫はかつて鈴子と放浪の日々を過ごしていた頃、何度か行ったことのある田舎道をいつの間にかたどっていた。その道は節子の買い出しのお伴で何度かリュックサックを背負ってあちこちの農家を訪ねたこともある道だった。汽車では、おそらく太洋駅から二、三駅先の場所かもしれない。とかく、この頃は汽車もバスも買出し人で満員だったり、不通だったりして、重い荷

物を担いで一、二時間歩くことなど日常茶飯事だった。

国道沿いをどの位歩いただろう。やがて小さな石碑を祀った祠（注：神さまをまつった小さいやしろ）があった。そこを左に折れて林の中の道を縫って行くと、竹林や背の高い柿の木が茂った林の奥に、低い木に囲まれた農家が一軒建っていた。そこを一直線に下っていくと浄水池のそばに出た。そこは水道の浄水場で、阿武隈山脈はそこで尽きていた。

この穴場は和夫と鈴子が放浪の日々を過ごしていた時見つけた憩いの場所だった。そこを流れる細い溝には、どこから来たのか分からないが小魚が沢山泳いでいて、二人はその光景を飽きずに長い間見入ったものだった。小魚はかなり大きいものも小さいものもいて、手ですくおうとしてもどうしてもすくえなかった。

ここの風景を二人が気に入った理由は、春は桜の花が散り、秋は紅葉の落葉が流れ込んだ溝の光景が、自分たちが置かれた悲惨な状態を忘れさせるほど美しかったためだった。

「お兄ちゃん、きれいだねえ。葉っぱが赤くなったり、黄金のように真っ黄色になってすごいね。」鈴子は小さな手のひら一杯に枯葉を集めては、ひらひらと舞わせて遊んでいた。遊び道具が何一つ楽しむものがない殺風景な生活環境の中で、美しい自然が二人にわずかな楽しみと慰めを与えてくれた。

「お兄ちゃん、これは落葉のお葬式？　あの小さな魚も天国に行くの？」

和夫は鈴子が溝の側で夢中になって無心で遊ぶ余り、誤って水の中に落ちてしまわないかと、いつも妹の上着の裾をつかまえていたものだった。

また別のある日、和夫は戦火によって消失した建物を再建しつつある松川小学校や太洋病院の入院病棟や看護婦宿舎の側を通って、かつて家があった高台のあたりをぶらついた。この辺りは、二年前の七月十九日の艦砲射撃で母と家を失ってから、久しく足を運んだことがなかった。住んでいたバラック小屋の前で、行き倒れの老人が死んでから、鈴子が「幽霊がでてきそう」ととても恐がったからだった。

今、久しぶりに爽やかな秋の明るい空気の中を歩いていくと、和夫はかつてのこの辺りの風景をぼーっと思い出した。樹令三、四十年といわれた桜山のみごとな淡白色の山桜、その上の山の南斜面には青々と伸びた麦畑が広がり、坂のてっぺんからは雄大な太平洋が真っ青な水をたたえて、光って見えた。

その海の浜辺に、オカッパ頭に麦わら帽子をかぶって笑っている鈴子のあどけない笑顔、スカートの裾をはしょって広瀬の海の波打ち際に裸足で立つ母淑子の姿、その視線の先には日焼けした体で元気に海を泳ぐ若い頃の父の姿が浮かんできた。

妹がいる間は、使命とも思える強い責任感が自分を支えてきた。だが今のジレンマは何なのだろう。泥棒とそんなことを言われただけでクヨクヨ悩むなんて男らしくないぞと責める自分がいた。だが一方では、これはそんなこととは全く違う次元の問題なのだと異議をとなえる自分がいた。以前は仕方なかった。生死を賭けた時代だったから。今は、真理のまやかしを単に男らしいとか女々しいとか、そんな言葉で簡単に片付けてしまうのとは全く違う次元の本当の真理の問題なのではないか。

ああ、戦争孤児は現実という大海の中で、どんなふうにしたら正しく生きていけるのだろう。

ふと森田五郎の言葉が思い出された。

「差別や偏見の壁を乗り越えるには、一にも二にも実力だ」と。そして最後に彼は「どんなことをやっても……」とニヤリと笑って片付け加えたものだった。

でも本当にどんなことをやってもいいのだろうか。それともただの冗談だったのだろうか。

雑木林の木陰から、いつの間にか夕暮れを告げる穏やかな陽射しが、和夫のいる土手の上にも長い影を延ばしていた。

もう夕方だ。帰らなければ。先生たちはぼくがどこに行ったか心配しているかもしれない。家の側の銀杏の木が医院の入り口の周辺に枯葉を一杯散らしているので、掃いてほしいと節子から頼まれていた。それに燃料が不足しているので、薪割りもお願いねとも。

和夫は座っていた土手の草から立ち上がると足元の鞄を取り上げた。土手の上の空き地には丈高く繁ったススキの白い穂が銀色の波のように優雅に揺れている。まるで平和の園のように。高台を下って行くと、遠くに秋の海が美しく眼下に開けて見えた。

穏やかな山脈から海に連なる町。ポツポツと新しく建ち始めた家々の窓に、かすかな家の明りがともり始めている。その先にところどころ白く光る海。

ああ、あの海で父さんは幼い自分に水泳を教え、太平洋の海流について教えてくれた。そして自分には今、自分のことを本当の息子のように愛し、大切にしてくれる藤崎夫妻がいる。すべてのことが配給制で厳しい食糧統制の時代に、自分たちの乏しい食事まで削って住まわせ、沢山のアドバイスと勉強の機会を与えてくれるまたと無い人たちに毎日が支えられて平穏に生きているではないか。そう考えると葛藤は消え、心にポッと灯りがともった。

「ただいま」

「お帰りなさい。」

台所で夕食の支度をしていたらしい節子が水仕事で濡れた手を前掛けで拭きながら、笑顔で和夫を迎えた。ありがたいことは節子があまり和夫の行動を詮索しないことだった。

「薪割りして、入口の落葉を掃いておきます。」

「ありがとう。とても助かるわ。」

14　ともに暮らせる幸せ

晩秋に入ると陽の陰りが一段と早くなり、五時を過ぎるとあたりは早々に夜の帳に包まれた。

十一月に入ると藤崎医院には以前に増して来院する患者の姿が増えた。それは市内で被災してまだ開業が遅れている病院の患者たちの来院が増えただけではなく、産婦人科以外の患者でも藤崎医師が「来る者は拒まず」式に患者を受け入れたからであった。それと厳しい季節の到来で、ここ数年の極度の栄養失調からの体力の低下、気温の変化による風邪、肺炎、気管支炎、感染症などさまざまな病気を発症。また今まで医者にかかる余裕がなかったために戦時中に被弾した怪我を放置したまま重症化して担ぎ込まれる患者、免疫の低下、衛生設備の不備、薬の不足が原因で苦しみ、病気になって来院する患者も多くいた。特に水道水、飲み水の不足から井戸や池の水を飲んでチフスや疫痢、またジフテリヤ等の感染症患者が運ばれてきて、感染予防のための緊急措置やワクチンの確保に駆け回ることもあった。

その他に食糧不足のため周辺の山や森で採取した茸狩りで、毒茸を食べて中毒症状を起こしてすんでのところで命を落しそうになって早朝、家人がリヤカーで病人を緊急搬送してくる者もいた。

食糧不足のためタンポポの花や、道ばたに咲くどくだみなども食する者もいたが、どくだみは、清楚な外見とは裏腹に、悪臭がひどいが整腸や利尿、下剤、解毒作用があり、薬草として有効であることを和夫は知った。

藤崎医師の専門は本来産婦人科であったが、昭和二十年六月十日の米軍による三度の猛攻撃を被ってからは、戦火で重傷を負った者の手当や、市内の大量の爆死者たちの検死にも多大な時間と労力を惜しまなかった。どんな病人でも怪我人でも、来る者は拒まず。それが藤崎の信条であった。

藤崎洋平にとってのここ数年の一番の打撃は、戦争勃発まで父親の医院を継ぐために研修医として働いていた長男洋一と医学部に入学して四年目を迎えた次男恵二の相次ぐ召集と戦死だった。

一方、こうした二重の喪失の悲しみに加えて、市内の医療従事者たちは、莫大な数の死傷者の検屍、また戦災による重軽傷者たちの手当に極度の疲労に追い込まれていた。

和夫はこうした医師の生活の一部を横からそっと見ていた。先生、大丈夫なのかなあ。そうした不安と心配が時々心を横切った。

十二月の寒いある朝、いつも快活で、決して弱音を漏らさない節子が、ぽつりと言った。

「先生、大丈夫かしら。ここんところ、一週間も徹夜の日が続いているわ。難産が何人も続くと、ほんとうにクタクタ、心配だわ。」

誰に言うともなく呟くように言うと、節子は傍らに和夫がいるのも忘れたように、そそくさと立ち上がって奥の部屋に向かった。

一方、和夫は書店での働きのかたわら、松川第一高等学校の夜間部の入学試験を受けるために、ひたすら試験勉強に励んだ。とは言え、学びでは母の死とその後のバラック生活でかなりの空白があり、特に数学は苦手科目だった。藤崎医師は超多忙の身で、聞く暇がなかった。けれども聞くところによると定時制は授業料も普通科より安く、学生のメンバーも年齢も職業もバラバラだと節子が教えてくれたので、少し気が楽になった。

「和君、あなたなら、後から追いつけるわ。人一倍努力家なんですもの、今は遅れていても必ず、みんなを追い越すわよ。」と励ましてくれた。

和夫はかつて戦争孤児だった自分が、今普通の子と同じように住む家を与えられ、その上学ぶ機会まで与えられようとしていることを心から藤崎夫妻に感謝した。

だが仕事と受験勉強の合間に心を悩ます問題が一つあった。一生懸命勉強に取り組んでいる最中、母の遺体を火葬場に運んだ三年前のあの猛暑の中の、目がくらむような光景が突然目の前に浮かんでくることだった。炎天下と殺人的な混雑と無秩序の中で、最後に持ち帰ることが出来たのは、本当に母のものかも確認できない僅かな骨の断片だけだった。葬式も出せず、その時受け取った遺骨はいまだに古びた小さな木箱に入れて、リュックサックの中に大事にしまってあった。

さらに思いは鈴子の思い出に遡る。鈴子の葬式は母の時よりは遥かに心を慰められたが、どうしてあんなに呆気なく死なせてしまったのか、せめてもう少し生き延びて、自分と一緒に少しでも楽しいこと、うれしいことをほんの少しでも一緒に味合わせてあげたかった。そんな強い後悔に責められた。するとそれまで熱中していた受験勉強を度々忘れて、ぼんやりしている自分に気がついた。こんなことではいけないと自分を戒めて再び学びに集中しようとするのだが、なかなか元に戻れなかった。

さらに和夫の受験勉強を時折妨げたのは、両親と妹の死後の世界についての疑問だった。三人は死んだ後、どこに行ったのか。この疑問については、少し希望の光がうっすらと射し込みつつあった。鈴子の葬式の時、司式をしてくださった平沢四郎牧師は「イエス・キリストを信じる者には、永遠の命が与えられます。彼らの国籍は天にあり」（聖書 ピリピ人への手紙三・二〇）と語っていた。きっと三人ともイエス様を信じていたので、天国に行ったんだ。でもぼくはまだ行けない。イエス様を知らないから。

そうした思いの中で、度々勉強をそっちのけにして、聖書をめくる時も多かった。和夫はやがて書店から使用済みの紙を貰ってきて、時々その裏に心に留まった聖書の言葉を書き留めた。何しろ戦後の物不足で、ノートや紙が非常に不足していたので、使用済みの紙も貰えるだけでも有難い貴重品だった。

ある日、和夫は節子がくれた洋一の遺品の中に、薄っぺらい聖書の分冊を見つけた。相当古いものらしく表紙も紙もだいぶ古びて色あせていたが、有難いことに字は読めた。

「光はやみの中に輝いている。」（聖書 ヨハネの福音書一章五節）まず短いこの言葉が目に入った。

闇と光。今の自分に一番必要なのは、心の闇を照らしてくれる光だった。幼少期のごく短い幸せな時期を除けば、今まで長い長いトンネルの中を歩いてきたような気がした。愛情深い藤崎夫婦に救われて一緒に住むようになって、やっとトンネルの闇の彼方に淡い光が見えてきたような気がしたが、心の底ではその淡い光もいつかまたふっと消えてしまうかもしれないという不安があった。

一方、心の奥底には深い悲しみが薄い膜のように沈澱して張りついているように思えた。どうしたら心の底から喜んだり、明るく生きることが出来るのだろう。家族を失った悲しみと孤独はこれからもずっと自分の人生で一生負わなければならない十字架のようなものなのだろうか。

そう考える度に和夫の目の底に、森田五郎と東京に行った時、襲いかかってきた戦争孤児たちの憎悪に満ちた、冷酷な目差しと「獣にはなるなよ」と小声でつぶやいた五郎の言葉が思い出された。

その頃、藤崎医師は非常に忙しく、朝の短い祈りの時間しか顔を合わせることは滅多になかった。けれども節子とはしばしば雑談する時があった。とは言え、彼女は職業婦人らしく心が広く、節度をわきまえていた。

「和君、試験勉強はどう？　進んでいる？」

「少しだけ……」

「そう、自分がやりたいことが見つかったら、全力を尽くしなさい。お父さんは家の二人の息子たちには、『勉強しなさい』とか『偉くなりなさい』って言ったことは、一度もないのよ。でも二人とも自分で医師の道を選んだの。その時、お父さんは喜ぶのかと思ったら、『おまえたちは何のために医者になるのか、親が医者だからか、ただ地位や名誉や金儲けのためなら、今からでも医者になるのは止めなさい。苦しんでいる患者の命を救い、病人に寄り添う医者になりたくてなるなら、全力を尽くしなさい』って。自分の主義には、とても厳しく、頑固な人なのよ。貧しい患者さんからはお金は取らないし、危篤の患者さんや瀕死の病人には自分の睡眠時間を削っても最後まで看取るのよ。とっても厳しい人だけど、心はとても優しい人。わたしも元は看護婦の端くれですもの、尊敬しているわ。でもいくら頑張ってももう六十の半ばをかなり過ぎてるわ。若い時のように徹夜したら、心配だわ。」

そんなことを和夫と話した数日後、夜遅く節子が和夫の部屋に顔を出した。

「和君、今晩、先生が少し遠くまで往診に行ったんだけれど、まだ帰らないの。心配だわ。悪いけれど見に行ってくれる？」

「はい」

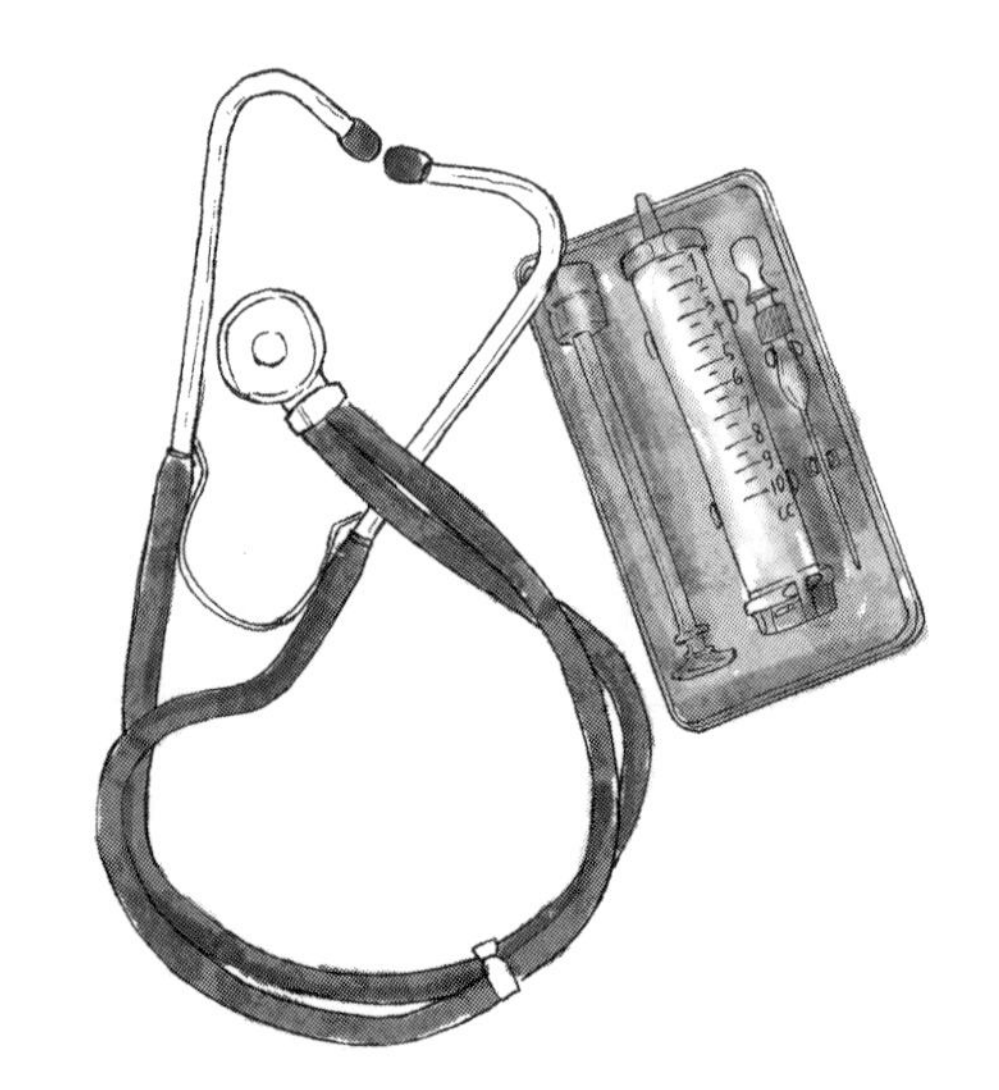

「勉強中悪いわね。」

「大丈夫です。すぐ行ってみます。今晩はどこに往診に行かれたんですか？」

「それがね。松川町の高台の笹が丘住宅のあたりの根本さんというお宅。峯寺とかいうお寺があるでしょう。あの辺は太洋製作所の従業員たちの新しい家が建ち始めた場所よ。若い奥さんが七時過ぎに破水して来てくださいと急な連絡を受けて出かけたきり、もう十一時でしょう。先生、疲れて荷物を持って帰って来れるかどうかが心配なの。今までも何度かこういう時があったわ。外は寒いから、これを着て行きなさい。」

節子は戦死した息子の厚手の茶色の外套を持って来て、和夫に渡した。

「はい。懐中電灯も。外は真暗だし、街灯もなし。坂は足場が悪いし、昨夜の雨でぬかるんでいるから気をつけて。」

外に出ると風が吹きつけてきて、ブルッと震えた。節子が着せてくれた厚手の外套が有難かった。まだ街灯が壊れたままで真暗な街道を南に進み、三十分も歩いたところで太洋病院の前で道を横切り、昔の国民学校だった松川小学校に向う坂道を登り始めた。左手は漆黒の闇の中に、復興しつつある病院の看護婦宿舎と入院病棟の鈍い電灯の明りがところどころぼうっと浮かんで見えた。二年前の空襲の直後は、この病院の廊下や待合室は被災したおびただしい重傷者や手足を切断されて、血まみれになって苦痛で呻く被災者が満ち溢れていた悲惨な光景が和夫の脳裡に一瞬閃いた。その悪夢のような記憶を敢えて吹き払い、和夫は足を早めた。音もなく、光もなく、辺りは本当に真暗だった。

この暗闇の中で先生を探せるのだろうか。そう思った時、少し上方に動く人影を認めた。紺色のインバネス（注・ケープをつけた袖のない男子用コート。明治中期から着物用のコートとして用いられた）をまとい、乱れた白髪が夜目にもはっきりと捕えられた。右手に重い大きな鞄を下げている。いや引き摺っているという表現がふさわしかった。

「先生、迎えに来ました。」

よろよろした足取りで歩いてくる老人は、まぎれもなく藤崎洋平医師だった。余程、疲れ切って歩くのが大変だったのか、藤崎の顔が和夫の姿を認めてわずかに和らいだ。

「おう、きみか……いい所に来てくれた。こいつを持ってくれんか。こいつのおかげでうまく歩けなくて困っていた。」

医師はそう言うと、ずっしりと重い古びた茶色の革鞄を和夫に渡した。

「やあ、ありがたい。家までたどりつけるかどうか……。今夜は道ばたで野宿せならんのかと思っとったところだ」と藤崎一流の冗談をはさんだ。

「大丈夫ですか？」

「ああ、今晩も一晩中徹夜かと思っとった……。大変な難産でなあ……。しかし、神様が助けてくださった。」

老医師はよほど疲れていたのか、それきり口を開かなかった。それからいつもの倍の時間をかけて家にたどり着くと、寝室に直行し、そのまま崩れるように寝入ってしまった。

15　恩人が残した宝

その頃から、藤崎医師の健康は次第に衰えが目立ち始めた。相変らず午前中の診察室には、大勢の患者が早朝から待合室を埋めた。

「これじゃあ産婦人科どころか、何でも屋ね。」

「家の医院の看板には、息子たちが携わっていた内科や皮膚科の担当もあるからね。」

「お疲れがひどかったら、少し診療時間を短くなさったら……」

「考えてみよう。」

和夫が洋平と顔を合わせることは、朝の短い祈りの時だけにすぎなかった。しかし洋平との数少ない会話の中には、和夫の心の奥に刻みつけられるものがあった。

十二月のある朝、珍しく三人で丸い卓袱台を囲んで祈りをした時、洋平が突然和夫に尋ねた。

「君は大人になったら何になりたいのかな。」

唐突な質問に和夫が何と答えようかとまごつているると、洋平はかたわらのお茶をガブリと飲むと、静かに語り出した。

「人には生きている間、神さまから委ねられた使命というものがある。それが何かを出来るだけ早く見つけなさい。人間の生死は神さまの御手の中にある。君が戦争の中を通り抜けて生かされたということには、君に与えられた使命があるからだよ。そして見つけたら、その使命のために全力を尽くして生きるといい。きっと神さまが君を祝して用いてくださる。」

「まあ、お父さんたら、突然何を言われるかと思ったら、ビックリでしょう。いつもこんな風なのよ。」

「いや、突然じゃなくて、言えるうちに言っておかなければと思っただけだよ。」

洋平はまじめな顔で「ごちそうさん」と言って立ち上がると、診察室に向かった。和夫も「ごちそうさま」と言って立ち上がったが、その時節子の方をちらっと見ると、いつもの快活さはなく、妙に考え深い表情をしているのが印象に残った。

その時がきっかけだったのだろうか。和夫はその時以来、洋平の「人は生きている間、神さまから委ねられた使命というものがある。それを出来るだけ早く見つけなさい。そして見つけたら、そのために全力を尽くして生きるといい」という言葉が心の底に残った。初めて聞いた言葉だった。ぼくなんかに使命ってあるんだろうか。

そう考えた時、脈絡もなく、「泥棒！　盗人！」とののしられた言葉が稲妻のように脳裏に響いた。そして罪人という言葉も。そうだ。ぼくは法律で禁じられたある種の闇屋の仕事の片棒を担いだ……

森田さんは塩を売る仕事は別に罪ではない。ただ法定外の高値で売りつけて儲けることが罪だと言っていたけど……でもどうして汽車の中で警察官の姿を見たら、いつもコソコソして逃げたのだろうか。僕は儲けるためではなく、生きるために仕方なく働いた。あれしか道がなかったんだ。鈴子のためにも落ち着く場所が必要だった。戦争が悪い。戦争を起こした人が悪い。政府が悪い。他の国を奪おうと侵略した人たちが悪い。自分は何も悪いことをしていない。家族を失って苦しむ戦争の犠牲者なのだ。お金があれば、家があれば、両親がいれば、決して塩を闇で売る手伝いをしたり、人の家の食べ物を盗むこともしなかったのに。

和夫は心の中では自分を責め続ける良心にありったけの自己弁護をしてあらがった。しかし自己弁護をすればするほど、成瀬の海の浜辺で灼熱の太陽に焼かれて真っ黒に日焼けした男たちが、馬車で海水を運んだり、褌一つの半裸体で働いていた光景を思い出した。

みんな生きることだけで精一杯だった。森田五郎に連れて行かれた東京で、凄まじい憎悪をこめた目で五郎と自分のリュックを奪おうと飛びかかってきた戦争孤児たちの凶暴な獣のような姿も思い出した。

一歩間違えば、もし森田五郎や藤崎夫妻の助けがなければ、自分も必死のあまり同じような者になっていたかもしれない。そう思うとぞっとした。だから自分も心の中では間違いなく罪人の仲間なのだ。もう認めざるを得なかった。

冬はかけ足で深まっていった。色あざやかな錦の織物のような衣裳をまとった阿武隈山系は、またたく間に輝きを失い、山の尾根から冷たい風が吹きつけてきた。遠くに広がる太平洋は寒々としたねずみ色で、よそよそしかった。

そんなある日、大雪が降った。雪は二日間降り続いた。和夫は仕事に出かける前に家の回りの雪かきをして、それからいつもの二倍の時間をかけ、歩いて町の本間書店に仕事に出掛けた。しかし午前中、客はほとんどなく、店の中の掃除と事務仕事、そして外回りの雪かきをしただけで、店の主人は「今日はもう帰ってもいいよ」と和夫を早目に帰してくれた。

家では藤崎洋平が薬を取りに来た患者と、他の緊急の患者の診療に当っただけで、午後は風邪気味だと言って部屋で休んでいた。はやばやと日が暮れた午後四時に、三十代の一人の男が雪まみれになって藤崎医院の扉を叩いた。

トントン　トントン「すみません。お願いします。」

しきりに戸を叩く音に奥の部屋で休んでいた節子が出て行くと、体中雪まみれになった若い男が毛糸の帽子を真白にし、寒さで赤らんだ顔で入口に立っていた。

「すみません。こんな大雪の日の夕方、突然来て。広瀬の浜の村山です。家の奴がまだ予定日より一週間も早いのに、午後三時頃から陣痛で苦しみ始めました。申し訳ねえけど、わし一人じゃあどうにもならんで、先生、おねげえします。一緒に来てください。」

応待に出た節子は、いつになく積極的ではなかった。厳冬の日の夕方、すでにあたりはとっぷり暮れて闇に包まれていた。これから何時間かかるか分からない出産の手伝い。ベテランの看護婦であった節子は、これまでも戦争中、無数の出産の場面に遭遇してきた。ローソクの下で、あるいは空襲からの逃避行の途中で、また電灯のない部屋で月明りを頼りに夫の手術や妊婦の手助けをして働いてきた。ただ最近の夫の仕事振りと疲れ具合を見ていると、この大雪の中、夫を仕事に行かせたくなかった。

「おねげえします。」

ためらっている節子の前で、男はしきりに頭を下げた。

その時、人声を聞きつけたらしい藤崎医師が奥の部屋から出てきた。

「奥さんの陣痛が始まったか……。そうか、すぐ支度して出掛けるから、道案内を頼むよ。」

そこには何のためらいもなかった。すり切れた茶色の大きな往診鞄の他に、出産時に必要な医療器具や綿花等を入れたふろしき包みを持って、すぐにも出掛けようとした。節子はすぐさま黒の外套と灰色のマフラーを夫に差し出した。男の乗って

きた自転車の後ろの荷台に往診鞄をくくりつけると、二人はあっと言う間に雪の中に姿を消した。

その夜、節子と和夫は夕食もそこそこに落ち着かない夜を過ごした。村山さんの奥さんは若いし、過去二回の出産は短く、安産だったので、今回もそれほど出産に時間はかからないだろうと考えた。けれども節子の予測は外れた。夫は深夜を過ぎても帰宅しなかった。電話をかけようにも、貧しい村山家には電話がなかった。

雪はしんしんと降り続き、窓の外の生け垣や街路樹も真白に雪化粧して、静まり返っていた。節子は祈りと共にその静まりかえった雪景色をじっと見つめていた。

「ぼく、村山さんの家を見つけて、先生を迎えに行って来ます。」

和夫は緊張した節子の横顔に語りかけた。

「行ってくれる？　ありがとう。助かるわ。雪がひどいから、気をつけて。」

「はい、ぼく、前に広瀬の浜にいたので、他の人よりも分かるかも。みんな早く寝るから、夜遅くまで明かりがついている家があったら村山さんの家かも……。初崎の近くだとか言っていましたよね。」

「ええ、お願いね、気をつけて……。祈っているわ。」

外に出ると雪がいちだんと激しく吹きつけてきた。少し行くと道は狭く、降り積った雪が通行を妨げていた。数メートル進むのも難儀した。それにしてもなんと暗い夜道だろう。以前あった街灯は空襲でほとんど破壊され、まだ復旧していなかった。

和夫は暗闇を恐れなかった。鈴子とどれだけ多くの闇の中を歩いたことだろう。食べる物と寝る場所を探して。しかし今、頭にあることは、出来るだけ早く藤崎医師を見つけて、家に連れ帰ることだけだった。

先生、どこにいるのですか。

真夜中を過ぎた道の両側に立つ家々の電気は消えて、物音一つしなかった。まるで雪に埋まった町のように、しんとした静けさがあたりを支配していた。家々を覆い尽くした雪がまるで絵本に出てくる西欧の家々のようにすっぽりと周囲を包み込み、幻想的でさえあった。

しかしこの道はかつて夏の日々に両親と妹と何度か通った思い出の道で、間違えずに浜辺に下る狭い坂道の入口までたどり着いた。その道を下って行くとまるでおどすかのように迫ってくる真黒な波のうねりと黒い空が見えた。その黒いキャンバスを背に白い雪が絶え間なく降りしきっていた。

寒い……。和夫は思わず両腕を抱いて、体を縮めた。こんなんじゃあ、家が見つかるだろうか。

白い雪をかぶった浜の光景は、たった一年前に過ごした思い出の場所とは、完全に変わっていた。あれほど多くの仕事にあぶれ、また家を失った人たちで賑わっていた場所が、今は墓場のように静まり返っていた。むしろで囲ったバラック小屋の屋根からいつも立ち上っていた薄墨色の煙。海水を運ぶ馬車。大きな鉄釜に海水を入れ、一晩中火を絶やさずに焚き続けて、完成したさらさらの真白な結晶の「塩」を作っていた塩たき村の人々。赤銅色に日焼けした森田五郎の逞しい顔まで浮かんできた。

「いけない！　今は村山さんの家を探すことに専念しなければ。」和夫は一瞬にして回想を振り払った。今は一刻も早く先生が向った家を見つけなければ。」

　目指す家はなかなか見つからなかった。もっと詳しく聞いておけば良かったのに。どこかに明かりがついた家が見つからないかと和夫は海辺や崖下の密集した家々を探し歩いた。そうだ、岬に向かう途中の波の音がよく聞こえる家だと節子が言っていた。和夫はもう一度道を引き返して、砂浜が広がる場所に戻った。

　ふと海を見ると、降りしきる雪を受けて、うねり続ける大きな黒い波がまるで怪物のように思えた。一年半前、鈴子があっけなく死んでしまった時、自分もこの海に飛び込んで人生を終わらせてしまいたい衝動に駆られた夜のことを思い出した。その自分を心をえぐる深い悲しみと絶望から救ってくれたのが藤崎医師夫妻だった。あの時、二人が自分を迎え入れてくれなかったら、自分は今頃、海の藻屑となっていたことだろう。

　先生、死なないでください。どこにいるのか教えてください。心の中で初めて必死に祈りながら、暗い波間からふと向きを変えて崖下の集落に目を向けると、そこから小さな光が漏れて、小さな家の横から人影らしい姿がふらつくようにして出てくる姿を目にした。思わず駆け寄ると、それは白髪頭を乱し、疲れ切った顔に幾筋もの深いしわを刻んだ藤崎医師だった。

「先生！」白衣の上に黒く長い外套を羽織った医師は、和夫の突然の出現にも驚くふうでもなく、しかしほっとしたように無言でうなづいた。

「迎えに来ました！」

「ありがとう！　帰れないかと思っとった。」

「赤ちゃんは……。」

「難産でいつもより時間がかかったが……、もう大丈夫だ。元気な男の子だ。」

家の入口まで小柄な男が出てきて、「ありがとうございました」と低く頭を下げた。

和夫は自転車の前の籠に茶色い大きな往診鞄を入れ、自転車を引いて帰途に着いた。藤崎医師はよほど疲れ果てていたのだろう。海辺の道を少し進んだだけで、動けなくなった。それで和夫は先生を後部座席に座らせ、自分は自転車を引いて進んだ。降り積った雪、湿った砂浜を登って街道まで出る道は非常に困難で、進むのに格闘した。それに人と荷物の重さで古ぼけた自転車がパンクするのではないかと心配だった。少しずつ少しずつ用心して進み、一方では自分の後の後部座席に腰掛けた藤崎医師が崩れ落ちそうになるのを片手で支え、左手でハンドルを操って進んだため、帰途の雪道はいつもよりもの三倍の時間がかかった。

医院の入口に着いたのは、午前二時を回っていた。二人とも雪まみれで、藤崎医師はすんでのところで自転車からころげ落ちるところだった。医院の扉の前には、えんじ色のコートを羽織った節子が立っていた。随分長い間、そうして扉の前に立っていたらしく、厚ぼったいコートのフードには、粉雪が沢山積って白っぽかった。自転車から降りた藤崎医師は、節子と和夫に両側から支えられて歩き、ほとんど崩れ落ちるように上がり框に倒れ込んだ。節子はすばやく夫の熱と脈を測った。

「すごい熱だわ。無理したから肺炎を起こしたのかも。和君、先生を寝室にお連れして。布団が敷いてあるから、そこに寝かせて、先生の額に氷のうを乗せて。わたしは知り合いの草野先生にすぐ来てくださるように往診を頼むわ。」

節子は元看護婦らしく、テキパキと手配した。

それから三日三晩、藤崎洋平医師は高熱と戦った。ここ数年来、戦前、戦中、戦後の激動の時代に医師としての激務が老医師の体にたたっていた。

「医者とは、人の命を神さまから預かり、癒し、あるいは救うこと、これが使命の第一義であって、名誉や地位や金儲けのためであっては決してならない。」

この信条を一生頑固なまでに守り通した医師であった。節子は夫のこの信条をよく理解していた。いつかこの人は自分のこの信条、あるいは使命のために命を献げて戦い、あるいは生命を落とすようなことがあるのではないかと心ひそかな覚悟があった。

それから数日後、草野医師と節子の必死の看護にも拘わらず、洋平の死が告げられた時、節子は取り乱さなかった。お世話になった医師に静かに礼を述べ、葬式の司式に訪れた平沢四郎、ふみ夫妻と幾人かの信仰の友たちと思い出の讃美歌を歌った。

はるかにあふぎみる　（原文）
かがやきのみくにに、
ちちのそなへましし
たのしきすみかあり
われらついに　（おりかえし）
かがやくみくににて
きよきたみと
ともにみまへにあはん

（讃美歌　五六三番　日本基督教団賛美歌委員会編　日本基督教団出版事業部　一九三一年版：現行讃美歌四八八番）

父、母、鈴子の葬式に歌われたのと同じ讃美歌だった。和夫は隣に座っていて、節子の右頬に一滴の涙が伝わるのを見た。辺りはとても静かで、しかも和らぎがあった。

松川教会の牧師である平沢四郎が立ち上がって短い弔辞とお奨めを語った。集まった人々は、洋平の生前の意向で、ごく僅かの長年の信仰の友たちと臨終を看取った草野医師だけだった。

「わたしたちは今日、愛する長年の信仰の友、また一方に於て、私たちの肉体的、あるいは精神的な貴重な助け手としての存在であった藤崎洋平氏を弔うためにここに集まりました。先生の長年の医療のお働きを通して、また信仰の先輩として私たちに示してくださいました沢山のご愛と助けに心からの感謝をお献げします。どうか師が心を尽くして愛され、仕えられました天の父がこの場にご臨在くださり、愛する夫であり、また父親を亡くされたご家族の上に深い慰めと助けをお与えくださいますように心からお祈り申し上げげます。」

それから聖書の言葉がいくつか読まれた。

「私たちの国籍は天にあります。」（聖書 ピリピ人への手紙三・二〇）

「わたしのことばを聞いて、わたしを遣わした方を信じる者は、永遠のいのちを持ち、さばきに会うことがなく、死からいのちに移っているのです。」（聖書 ヨハネの福音書五・二四）

「死よ、おまえの勝利はどこにあるのか。死よ、おまえのとげはどこにあるのか。死のとげは罪であり、罪の力は律法です。しかし、神に感謝すべきです。神は私たちの主イエス・キリストによって、私たちに勝利を与えてくださいました。」（聖書　コリント人への手紙第一、一五・五五〜五七）

次々と読まれる言葉に、おごそかな静けさと平安が部屋に漂った。

牧師の朗読に耳を傾けながら、和夫は三年前のある光景を思い浮かべた。母の遺体を当時、遺体収容所になっていた太洋第二高等学校に運んでいった時だった。遺体収容所も山の麓にある火葬場も死者を悼み、永遠の訣別の悲しみと絶望のあまり泣き叫ぶ人々で一杯だった。多くの人々が愛する家族や友人の遺体の前で「どこに行ったんだあ！　どこに行ったんだあ！」「オーイ、戻って来い。」あるいは愛する者を奪い取られた悲しみの余り、神を呪いながら拳を振り上げて「クソッ！」と絶叫して泣き叫ぶ姿を目撃した。あれは地上で愛する者と二度と会うことのできない永遠の別離と喪失の深い悲嘆から生じた絶望の叫びだったにちがいない。

しかし、今ここにある静けさと安らぎは何なのだろう。一筋、二筋の涙の滴こそあっても、それは当然だった。藤崎洋平、節子夫妻が共に暮らした生活は、四十年だったと聞いた。

それに平沢牧師が語る「永遠のいのち」「よみがえり」「天国での再会」「死に勝利した」という言葉は、みな不思議なことばだらけだった。でもこの言葉が真実なら、自分も両親や妹や藤崎先生とも再び天国で再び会う望みがあるのだろうか。

さまざまな思いに耽る和夫の側に平沢四郎が近づいて来て、その肩にそっと手を置いた。目を上げると慰めといたわりに満ちた父親のようなまなざしが自分に注がれていた。

「藤崎先生は最後の最後まで君のことを気にかけて、わたしに委ねていかれた。『天国でまた会おう』と遺言を残して。寂しくなったけれど、元気を出して！　祈っているよ。」

「ありがとうございます。」

和夫はやっとのことで、それだけを口にした。

16 決断

葬式が終わり、あっという間に新年が訪れた。洋平が生きている時は、年末は一年で最も忙しい季節だった。暮は特に新年の休みに向けて薬や検診に訪れた産婦や新生児を抱いた若い母親たちで溢れていたが、昭和二三年（一九四八）の一月は診察室も待合室もひっそりと静まり返っていた。

一方、節子は夫の急死に伴う閉院。さまざまな事務手続きに忙殺されていた。和夫は節子が倒れてしまわないかと心配して、あらゆることを積極的に手伝った。配給の玄米を棒で突いて白米にし、それを洗って釜に入れ、細かく刻んだ菜っ葉や芋を混ぜ、通常の倍の水を加えて弱火で芋粥を炊いた。広瀬の海辺のバラック小屋で森田五郎に教わった料理だった。時に塩がなくて味がなかったが、それでも節子は喜んで食べてくれた。

相変らず薪割りの燃料探し、外廻りの仕事が沢山あったが、その一方で和夫は近づく太洋第一高等学校の入学試験に備えて、夜遅くまで猛勉強に励んだ。昼間は書店の雑務で忙しかった。しかし今は何としてもこの春から新設される高校の夜間部で学びたかった。幼い時から本が好きで、亡くなった父も「和夫は大きくなったら先生にさせるんだ」とよく言っていた。どんなに苦労しても、出来れば夜学で大学まで進みたかった。

そんなある日、東京に行った森田五郎から一枚のハガキが留いた。藤崎医師の急死を知らない様子で、ハガキ一面に書きなぐったような筆跡で、こう記してあった。

「こっちでの仕事がだいぶ落ち着いて、軌道に乗ってきた。どうだ元気か。おまえ一人ぐらい食わせてやれそうだ。来たいなら来い。良い仕事を世話してやる。儲かる仕事だ。」

ハガキの表には、新宿の住所と名前が書いてあった。

焼け野原に立つ高い焼けたビルディングの廃墟や駅前のひときわ賑やかな闇市や露天市場や多くの人々が行き交う交差点の光景が一瞬脳裏に浮かんできた。東京が大空襲に遭って焼け野原になったと言っても、大都会には、地方にはない何かがあった……。刺激とか魅力とか言える何かが……。絶え間なく走行する満員の電車や英語で書かれた駅の案内板などは確かに太洋市にはないものだ。

和夫は何度もハガキをひっくり返しながら、文面を繰り返し読んだ。森田さんは本当にいい人だった。自分も大切な家族を失ったからと、まるで父親みたいに自分と鈴子の世話を見てくれた。あの時、海辺で会わなかったら、どうなっていただろう。あの時、放浪生活に究極的に行き詰まって二人で海に飛び込んでいたかもしれなかった。灼熱の太陽の下で、鈴子と声もなくへたばっていた光景を思い起こした。

和夫はそのハガキを自分の部屋の小さなテーブルの引き出しに入れて、ためすがえす読み返した。この地に留まるのか、東京に行くべきか。心が揺れた。東京に行けば全てを森田さんがうまく計ってくれる。自分はそれに従うだけになる。森田さんが紹介してくれる仕事につけば楽かもしれない。でも学びからは遠のく。それでいいのか、と問う自分がいた。

悩みつつある夜、和夫は畳に仰向けに寝そべって片手にハガキをかざしつつ読みながら、ふとある思いが浮かんで、急に半身を起こした。

もしかしてこの儲かる仕事って何だろう。大きな疑問が暗黒の雲のようにむくむくともたげた。もしかしてまた闇商売に関する仕事ではないだろうか。そう考えるとギクッとした。たった一年ぐらいで急に儲かる仕事ってあるだろうか。警戒心が生じた。

森田さんは好きだった。豪快で、さっぱりして、親切で、その上思いやりがあった。鈴子のことにも、よく気を配ってくれた。だが儲けを第一とするところに、どこかやましさを感じた。生死を賭けた戦場で自分の生命を守るためには、人間の尊厳よりも勝敗や結果にこだわる生き方が必要だったのだろうか。

しかし亡くなった父にも、藤崎医師にもその考えは全くなかった。それどころか損をしても、どんな不利をこうむっても頑固なまでの真実を突き通す誠実さ、正直さ、嘘のない生き方を突き通す姿を二人に見てきた。それにもう警察官の姿を見て物陰に隠れたり、コソコソ逃げ出すような後ろめたい仕事はしたくなかった。

そんなことを考えているうちに和夫は森田から聞いたさまざまな話を思い出した。それらは主に森田五郎が当時働いていた新聞配達の仕事を通して得た新聞記事や実体験によるものであったが、非常に興味深かった。闇商売に出掛けた時、少しすいた駅から、悪名高い経済警察が乗り込んできて荷物を調べた。その時抱いた厳しい緊張感と不安の話。また足元にずしりと重いリュックを置いたまま姿を消す復員兵を装ったヤミ屋。また妊婦を装った女が泣き落としにかかるが駅で下ろされ、急に逃げ出そうとしてモンペが破れて、そこから白米がボロボロこぼれ落ち、逃げようとした女は米をまき散らしながら走って階段の下でとうとう警官に取りおさえられた。こうした話を森田から聞いて、あの時はみんな生きるために必死で、ヤミ屋のこうした手口も仕方がないと森田と笑い話で終わったのだが、今は違うと和夫は思った。「戦争だから」と特別カッコで許される殺人、傷害、闇商売は、どんな名義を使っても、罪は罪なんだと分かり始めた。結局何と言おうとも戦争は人殺しであり、集団殺人であり、人の思考や行動を悪に加担させ、思考を麻痺させるものだと。その時、和夫は自分が以前より少しずつ善と悪の区別が明確になりかけていることにふと気づいた。

罪の意識、以前は罪とか罪人という言葉を聞くのさえ嫌だった。自分は孤児になっても警察に捕まるような悪いことは絶対にしないと強い決意があった。だが母を失ってから、他人の家の畑に忍び込み家人が丹精こめて栽培した大根やさつま芋を引き抜いて生で食べ、他に食べられるものがないかと家庭菜園を荒らし、柿を盗み、「泥棒！　盗人！」と罵られ、小石を頭にぶつけられた時から、「罪」という言葉が初めて鮮明になりつつあった。それだけではなく藤崎家に引き取られて過ごしてきた生活の中で、藤崎洋平は心に残るさまざまな言葉や思い出を残してくれた。

それは「何かを選択する時には、やさしい道より一番難しい道を選べ。」また「自分のためよりも常に人のためになる道を選べ。あるいは何事でも、自分にしてもらいたいことを、他の人にしてあげなさい」と言った類の言葉で、やがてそうした言葉の根拠が聖書の中にあることが分かってきた。またその他に朝の短い祈りの時間には、聖書の十の戒めをよく教えてくれた。この戒めは両親が自分が幼い時教えてくれたものと同じで、神に対するものと隣人と自分に対する大切な教えだった。今や特にその後半の五つの戒めは、心にしっかりと定着しつつあった。

それまでは自分は果てしない大海原か砂漠のような世界をたった一人で、羅針盤もなくさまよっている旅人のようで、心もとなさや孤独、不安、恐れに絶えず苦しめられてきた。これから身寄りのない世界をどうやって生きていけばいいのか。そう思った時、上野駅や新宿の薄暗い路地で突然、野獣のように襲いかかってきた三人組の浮浪児の姿が、しばしば映画の一場面のようにフラッシュ・バック（注・過去の出来事や情景がはっきり思い出されること）した。

いやだ、絶対にああなりたくない。そう思った時、東京に行くのは止めようとはっきり決心がついた。東京は魅力も多いが、誘惑はもっと多く、強くなるだろう。森田と東京からの帰途、有楽町の駅の周辺で見掛けた女たちの姿たちも思い出した。

「あの人たちはあそこに立って何しているの」と五郎に尋ねると、「おまえが知らなくてもいいことさ」と五郎はあいまいな薄笑いを浮かべて言葉を濁した。今では和夫もその意味が分かった。

先生に色んなことを教えて貰って良かった。そうでなければ、ぼくも知らないうちに悪や誘惑の道に入り込んでいたかもしれない。たとい貧しくても、偉くならなくても、大好きなこの太洋の地でコツコツ生きていこう。その方が先生も喜んでくれるだろう。

実際、和夫のこの決断を一番喜んでくれたのは、節子だった。節子は森田から和夫に仕事の誘いのハガキが来たこと、そしてこのことで和夫が行く末の決断を迫られていることも知っていた。だが一切、口を挟まないで、ただ和夫が正しい決断をするようにひそかに祈っていた。だから和夫が藤崎家に留まりたいと伝えた時、節子は和夫に握手して、「ありがとう。うれしいわ」と喜んだ。

「この家にずっといてくれるなんて、幸せだわ。今まで通り暮らしましょう。わたしがあなたのお母さんで、あなたはわたしの息子。それでいいでしょう。あなたは今までどおり昼間は本間書店で働いて、夜は定時制で学んで卒業しなさい。わたしが息子たちにしてあげたかったことを、これからはあなたにしてあげたいの、大学にも行きなさい。経済的なことは心配なしよ。家賃もなし。あなたがこれから学校の学びで必要な費用は、先生が残してくれたものから全額でなくても、かなりサポートできるわ。実はこれは私の考えではなく、先生の遺言なの。私たちは戦争で大切な息子を二人も失った深い悲しみを、あなたが来てくれたことで、どれほど沢山の慰めと励ましと助けを頂いたことかしら。そして立ち上がるのを助けてもらったの。先生はああいう人で口では何もおっしゃらなかったけれども、あなたのことをいつも喜んで、感謝していたわ。」

　思いがけない節子の言葉に、和夫は絶句した。

「先生はね……ここ数年、非常に苛酷な日々を過ごしてきたわ。特に太洋市が三度の攻撃にさらされてから、昼も夜も、市内、市外、それに遠い近隣まであちこち検死や救助や手術に駆け回って、寝る暇もないくらい、猛烈な日々を過ごされた。真夜中にクタクタになって帰宅し、ウトウトとする間もなく、再び緊急出産や手術に呼び出されて遠くまで出掛けて、夜明けにクタクタになって倒れるような姿で帰って来たり。過労で体はボロボロ。でも神さまってすばらしいお方ね。二人の息子を戦争に取られて失った時の心の深い悲しみから先生を立ち上がらせてくれたのは、あなたの存在よ。先生はあなたのことをとても喜んで、地上の使命を全うして天国に行かれたのよ。永遠の命を頂いて。そして今は天国でゆっくりと、安らいでいることでしょう。だからわたしもいつまでもメソメソしていられないわ。　実は、先生が引退したらと心に温めていたけれども、わたし、この小さな医院を、これから神さまのために使って頂けたらと考えているの。」

「神さまのためにって……。」

「まだ忙しくてゆっくり考える暇がないけれど、先生は七十歳で引退したら、この医院の建物を戦争で家を失って行き場のない子どもたちや、あるいは青年や若者たちの一時的な休み場のような場所に使ってもらえたらと話しておられたわ。でもそれにはまだ準備が必要でしょう。当座は、太洋病院の看護婦宿舎に三月入居予定の看護婦さんたちの一時的な宿舎に使って頂くことにしたわ。」

こういう訳で、医院はたちまちのうちに東北から働きに来た四人の見習い看護婦たちの臨時宿舎となった。

この四名は十六歳から十八歳の女学生で、みんなはち切れそうな頬をし、素朴で、若さと生命力に溢れていた。彼らの元気な姿と明るい笑い声、初めて耳にする青森津軽の素朴な方言に、和夫は心癒されるものを感じた。

「我が家に新しい時代がやってきたのね。」

息子二人を育ててきた節子にも、彼ら四人の存在は希望と慰めと喜びを与えた。

17 闇に輝く星

昭和二三年（一九四八）四月、太洋市に新制高等学校が発足した。この学校は昭和二年（一九二七）太洋中学として鉄筋三階建ての新校舎が建てられ、その建物の左右に武道場と体操場、そして裏手に広いグラウンドと堂々とした姿を誇った。その建物は当時非常にモダンで、太洋市には珍しい白亜の殿堂と呼ばれたが、昭和二十年（一九四五）の戦禍で惜しくも焼失。二度目の新校舎だった。

和夫は県立太洋第一高等学校と改名したこの学校の夜間部に入学した。

今までの二年にわたる学業のブランク、しかもそれまでの全ての記録も失った和夫には学業再開は非常に多くの不利があったが、それを助けてくれたのが節子の存在であった。自分は戦争孤児となって多くの記録も書類も全て喪失し、本当に再び学びの道が開かれるのだろうかという根強い不安が心の底にあった。しかし乳白色の桜がみごとに咲いた空を見上げた時に、ここ数年味わったことのない心の底からの沸き上がるような喜びが心に広がった。

「ああ、祈りは本当に聞かれるのだ！」

不思議な感動が胸を締めつけた。自分はまだクリスチャンでもなく、神に祈ることもどうしたら良いかもよく分からないのに、節子は二人だけの朝の祈りで、自分のために学びの道が開かれるように毎朝一生懸命祈ってくれた。近頃、和夫は節子に対しても、今まで節子小母さんと呼んできたが、近頃は節子お母さんと思うことも多くなっていた。恥しくてまだ口には出せなかったが、節子はまさしく和夫にとって第二の母となっていた。

そして不思議なことに毎朝、節子と心を合わせて短い祈りをする時、自分たちの傍らに目には見えないお方がすぐ側にいて、祈りに耳を傾け、愛していてくださるような臨在感を感じた。

その感覚は和夫を日毎に強めた。かつては自分が乳白色の霧の中に閉じこめられて、どっちに向っていいか分らない不安と孤独といらだちで苦しんだ。だが今はそうしたもやが次第に薄れ、光が射しこむ方向に手探りで歩き始めた安心が増した。そしてその手探りの自分の手をしっかり握って光に向かって導いてくれた目に見えない大きな存在と共に現実の最大の導き手が藤崎洋平と節子に他ならないことに改めて気がついた。

その後、節子は若い見習い看護婦たちが看護婦宿舎のさらなる増築の完成に伴って、病院付属の新宿舎に移動すると、古い医院を新たな働きの場に提供する準備を始めた。準備と言ってもひどく簡単で、空っぽになった診察室の床に昔カーテンだった古い布を敷き、その上に小さな座布団を幾つか置いた。何が始まるだろうと不思議がる和夫に、節子は新しい働きについて説明した。

「実はね、あの娘たち（見習いの看護婦さん）が新しい看護婦寮に入ったら、もう私の仕事は終わりかとも思っていたの。年も年だし、もう十分やってきたから。でもある時聖書を読んでいたら「わたしの父は今に至るまで働いておられます。ですからわたしも働いているのです」（ヨハネの福音書五・一七）という言葉に出合ったの。そしてその日、太洋市から二つ先の町で働いている松下くまさんという方のお話を婦人会でちょうどお聞きしたの。平沢先生の奥様が話してくださったわ。松下くまさんはもう恐らく七十歳近いと思うけれど、この方は肺結核で苦しむ人たちに自分の残りの生涯をささげて働いておられるそうよ。自分の全財産を投げ出し、結核所を作り、それをシオン・ホームと名付けたの。実はこの方は福島県の原乃町の町長さんの未亡人なのよ。でもご主人を失い、海軍中尉だった息子さんも戦争で失い、さらにお嫁に行ってまもない長女の方も結核で失うという三重の悲劇に遭われた。にもかかわらず、くまさんは自分の深い悲しみを行き場もなく結核所に入所した回復期や初期の患者さんに向けられて、今は一緒に住んで病む人たちの母親となり、看護婦さんとなり、炊事婦となって働いておられるんですって。それだけではなく、くまさんは近所に困っている人がいたら愛の手を差し伸べて、相談相手になっておられるとも聞いたわ。自分の悲しみをマイナスと捕えるのではなく、逆にもっと大変な人に愛の手を伸ばしてプラスに変えるなんて、自分の力だけでは到底できないわ。」

「くまさんはどうしてできたのですか？」

「ほら、亡くなった先生がいつか言っていらしたでしょう。人にはみなそれぞれ委ねられた使命があるって。神さまは一人ひとりにふさわしい使命を与え、その使命を神さまからのものだと受け取った人には、その使命を果たすことができるように力を与えてくださるのよ。」

和夫はふと藤崎洋平医師の顔を思い浮かべた。

「ところで私は神さまが今の私にどんな仕事をさせようとしていらっしゃるかを考えたの。そしたらこの医院で老先生が長年取り上げてきた子どもたちのことを思い出したの。約四十年以上の長い歳月よ。その中には出征して死んだ若者や戦禍で傷ついた子どもたちも沢山いたわ。その子たちは今、どうしているのかしらって。この時代を生きてきた子どもたちは第一次世界大戦、第二次世界大戦とずっと戦争の影を引きずって生きてきたのね。でも戦争は終わったわ。これからは平和と希望の時代になるように、子どもたちに神さまの愛を伝え、生きる喜び、愛される喜び、そして互いに愛し合って生きることの大切さを伝えたいと思ったの。」

「……学校の先生になるんですか？」

「とんでもない。この年ですもの。私がやりたいと思っていることは、一日日曜学校よ。」

「えっ、たった一日だけ？」

「ええ、まず初めはね。この医院の建物の大きさは、一日日曜学校にぴったりだわ。でもその後はどうなるかしら。神さまの愛を知りたい幼子や子どもたちは沢山いるでしょうから。そのうち週二回、三回と増えていくかも……」

節子の目がいたずらっぽく笑っていた。

「何を教えるですか？」

「まず簡単な讃美歌を教えましょう。それから聖書のお話も沢山したいわ。ところで和君、紙芝居知っている？」

「ええ、一、二度見たことがあります。」

「そうよかった。ここで紙芝居を作って子どもたちに見せるのよ。絵は好き？」

「はい、少しなら。」

「鈴ちゃんも好きだったわね。よくお絵描きをしていたわ。とても上手だった。」

節子の何気ない語り口に和夫ははっとした。そうだ、鈴子はいつも絵を描いていた。それだけが鈴子のたった一つの楽しみだった。でも描くための紙もなく、色鉛筆もなく、時に砂浜に棒で絵を描いていた。その場面と同時に、自分が国民学校五年生の時、校庭に座り込んで友だちと一緒にローセキ（鉱物でできた筆記具のこと。コンクリートやアスファルトなどに白い文字を書くことができる。）でいっしょうけんめい戦車の絵を書いていた風景を一瞬思い出した。国民学校の時はあらゆる遊びが戦争と結びついていて、この頃の子どもたちのあこがれは少年戦車兵になることだったから。和夫はつくづく戦争が終わって新しい時代が始まったことをうれしく感じた。

新しい年は、かけ足で過ぎた。

四月、五月、廃墟に三度目の春が訪れた。市民の貧しい生活にも四季の移ろいが復興に明け暮れる市民たちに少しの潤いをもたらした。山の斜面一面に広がる青々とした麦畑、家庭菜園の耕作面積を増加して畑仕事に精魂を打ち込む人々。白色の山桜が咲き誇る桜田山は見る者の心を奪った。しかし買い出しや復興の荒仕事に従事する多くの人々の心には、いまだにそうした自然の移ろいや営みに目も心も留める暇も余裕もまだなかったのだが……。

和夫は毎朝五時に起床した。節子が困らないように毎日朝食の芋粥を煮、夕方の薪割りや燃料集めのためにも不足がないよう心を配った。四月から太洋第一高校学校の定時制の学びを許可され、朝七時から午後四時まで本屋で働き、午後五時から九時まで夜間部の授業を受けて、夜十時近くに帰宅した。家を留守にする時間が長くなっただけ、節子が自分の留守中、不自由をしないように務めた。

夜のクラスは人数は多くなかったが、第一日目からよい友だちも出来た。福島県から太洋工場に就職した十八歳の入江二郎という自分と同い年の青年だった。その青年は素朴で、世間慣れしていないところと父親を事故で早くに失った境遇が似ていた。

時々、土曜日の午後学校が休みになって早く家に帰ると、節子が家で子どもたちを数人集めて讃美歌の指導をしたり、聖書の話をしている光景を見掛けた。節子はどこからか購入したらしい古いオルガンを前に置いて、子どもたちに讃美歌を教えていた。

「主われを愛す　主は強ければ
われ弱くとも　恐れはあらじ」
（讃美歌四六一番　日本基督教団讃美歌委員会編　日本基督教団出版事業部　一九四八年版）

讃美歌が終わると、自分で製作した聖書物語を題材にした紙芝居を取り出して話し始めた。節子の両手にある紙芝居を見て、和夫ははっとした。節子が色をつける時間がなかったのかどうか分らなかったが、その紙芝居には全く色が塗られてなかった。それは色鉛筆がなかったのか、あるいは塗る時間がなかったのか。理由は分からなかった。和夫の心にその時響いたのは、「自分のせいだ」という自己責任を責める良心の声だった。頼まれていたぼくが色塗りを手伝ってあげるべきだった。

和夫はその時急に、手伝うと言っておきながら、いつも自分のことだけに夢中になってしまう自分の自己中心に気がついた。このことは鈴子のことでも同じだった。自分が勝手に姿を消して東京に行ってしまった時、具合が悪かった鈴子はどれだけ不安でおののいたことだろう。ああ、自分には愛がない。こんなに多くの人々に助けられてここまで生きてこれたのは、人々のおかげ、そして神さまのおかげなのに、自分は何かというと自分の将来、自分の働きや学びばかりに夢中になって、大事な人のことを忘れてしまう。これが自己中心という罪なのだろうか。そう苦悩している時、今まで何度か読んだことのあることばがいきなり心に浮かんできた。

「愛のない者に、神はわかりません。なぜなら神は愛だからです。」（ヨハネの手紙第一 四・八）

「神は、実に、そのひとり子をお与えになったほどに、世を愛された。それは御子を信じる者が、ひとりとして滅びることなく、永遠のいのちを持つためである。」（ヨハネの福音書 三・一六）

愛のない自分。

そして人々に永遠の命を与えるために、ひとり子さえ罪人のために献げられた愛の神さま。さらに罪人の身代わりとなって死ぬために地上に来られた救い主イエス様の犠牲的な愛。

その時和夫は自分が罪人だということをはっきりと自覚した。それをさらに最も明確に自覚したのは、九月に節子が体調を崩してしばらく太洋病院に入院した時だった。

「疲れが少し出たようね。お父さんが生きていたら、『節子、年を考えなさい』と叱られたところね。ところで子どもたちの集会は、しばらく平沢先生ご夫妻が受け持ってくださるっておっしゃるので、おまかせすることにしたわ。心配しないで。」

「ぼくも手伝います。」

「ありがとう。お願いするわ。以前、和君が持っていた『ベツレヘムの星』のカード。あれと同じ配色でいいから、紙芝居の色塗りをお願いするわ。あと三か月でクリスマスでしょう。その時に子どもたちに『ベツレヘムの星』の紙芝居を見せたいの。何しろベツレヘムの星は息子の洋一が描いた絵で、また、あなたと私たちを結びつけた不思議なカードですもの。平沢先生の奥さんのふみ先生からクレヨンの献品があったわ。これを使って素敵な紙芝居にしましょう。」

「はい」和夫は素直に絵の具を受け取った。

それから和夫は勉強と仕事の合間を縫って紙芝居製作に取り組んだ。みんな初めて知る話ばかりだった。色塗りの作業を黙々と続けながら、母を失ってからの三年間の足跡が走馬灯のようによみがえってきた。

母の突然の死。妹とふたりの放浪の旅。自分の全ての生きがいだった鈴子の突然の死、森田五郎と藤崎夫妻との不思議な巡り合い。

「神さまのなさることには、何一つ偶然はない」とはっきりと語った藤崎洋平の言葉も忘れられなかった。


昭和二三年（一九四八）冬。

この年は日々が過ぎ去るのが例年よりずっと早かった。和夫は仕事と夜学に慣れ、節子も崩しかかった体調がようやく回復し、以前に勝る活力と喜びに溢れて幼い子どもたちを集めて、熱心に神の愛を伝えた。

「この子たちはわたしの大事な大事な霊の子どもたちよ」

讃美歌を歌う幼い子どもたちの喜びに輝く

無邪気な顔。彼らが着ている服はつぎはぎだらけで靴もボロボロだったが、そこにはキラキラ輝く瞳、笑顔と賛美があった。

やがて医院の曲がり角にある大きな銀杏の大木が輝かせていた黄金の葉っぱをはらはらと散らし、たちまち地面を黄色く埋めた。木枯らし一号が吹き、最大風速八メートルを越える強い北風が辺り一帯を埋めた枯葉を、またたく間に空中に散らした。

十二月半ば、時々粉雪が舞った。夕方、家事をしながら、節子がなにやら讃美歌をくちずさんでいた。

「ああベツレヘムよ　などかひとり
星のみ　にほひて　ふかくねむる
知らずや　こよひ　くらきそらに
とこしへの光　照りわたるを」（讃美歌一一五番　日本基督教団讃美歌委員会　一九三一年版）

ベツレヘム……和夫は何度も聞き慣れた地名に非常な親しみを抱いていた。

「ベツレヘムって、救い主イエスという人の誕生の地ですよねえ。」

和夫はいきなり節子に尋ねた。

「そうよ、よく知っているじゃない。鈴ちゃんが持っていたカードに書かれていた地名と同じ場所。

あと一週間でクリスマスを迎えるわ。一緒に行きましょう。クリスマスのお祝いに。」

「でも……どこに？」

「教会よ。丘の上に新しい教会が建ったのよ。昔の教会堂は三年前、空襲で全部焼けてしまったけれども、今度は以前よりももっと素晴らしい場所、高台に神さまは前の倍ぐらい広い場所をくださり、教会を建ててくださったわ。戦時中、その場所は高射砲が据えられていて敵の攻撃に対抗して激しく応戦していた場所なの。神さまのなさることってふしぎでしょう。人間が考えられないようなことを沢山なさるお方。『太洋丘の上教会』これが新しい教会の名前よ。これからこの町の人々は丘の上に建つ教会の十字架を見て、神さまのご愛をはっきりと見るようになるでしょう。混沌として暗い闇の中に十字架は光と喜びと希望を届けるようになるのよ。」


それから一週間後の十二月二十五日の夜、和夫はえんじ色の厚いコートを着た節子と一緒に丘の上の教会に向かった。節子が用意してくれた白いワイシャツと紺の上衣、その上に息子洋一が着ていた黒いオーバーをまとって、二人は両側を高い杉林で囲まれた教会に通じる狭い石段をゆっくり登っていった。


登るにつれて丘の上の新しい教会堂の中から静かな歌声が夜のしじまを通り抜けて、次第に大きく響いてきた。いつか節子が口ずさんでいたベツレヘムの歌だった。

和夫の心にふと懐かしさが胸にこみあげた。鈴子もベツレヘムの星のカードをどんなに大事にしていたことだろう。ベツレヘムという名を耳にすると、父も母も妹も一緒にいて、今、自分とクリスマスを祝っているような懐かしさが急にこみあげてきた。

胸の火照りを冷やそうとふと夜空を見上げると、冷気でぴんと張りつめた澄んだ空に、闇夜を照らすひときわ明るく輝く大きな星を目にした。

「光はやみの中に輝いている。やみはこれに打ち勝たなかった。」（ヨハネによる福音書 一・五）

今まで何度か読んだことのある聖書のこの言葉が、突然、脳裏に浮かんだ。

そうだ、すべての人を照らすまことの光とは、ほんとうに生きておられる救い主、神さまなのだ。

その時、教会の入口の戸が開いて、丸眼鏡をかけた平沢四郎牧師が人なつこい笑顔を浮かべて出てくると、二人の姿を認めて近づいてきた。

「よく来たね、和夫君、クリスマスおめでとう！」

そう言うとつかつかと近づいてきて歓迎の手を差し伸べ、和夫の手を握った。その暖かい、心のこもった握手を通して、和夫は自分のうちに神さまの愛がどくどくと流れ込むような暖かい温もりを全身に感じた。

「今晩、あなたは神さまの新しい家族に仲間入りするのよ。」

節子が耳元でそっと語りかけた。

参考文献（さんこうぶんけん）

1 『写真集　子どもたちの昭和史』子どもたちの昭和史編集委員会編　大月書店（一九八四年）
2 『戦争孤児』本庄豊著　新日本出版社（二〇一六年）
3 『東京大空襲と戦争孤児』金田茉莉著　影書房（二〇〇二年）
4 『子どものとき、戦争があった』いのちのことば社出版部編（二〇一一年）
5 『子どもたちへ、今こそ伝える戦争』子どもの本の作家たち19人の真実　講談社（二〇一五年）
6 『憎しみを越えて』ドナルド・M・ゴールドスタイン、キャロル・アイコ、ディシェイザ・ディクソン著　いのちのことば社（二〇一七年）
7 『火垂るの墓』野坂昭如著　新潮文庫（一九七二年）
8 『火垂るの墓』野坂昭如著　文春ジブリ文庫（二〇一三年）
9 『ある牧師の半生記』和泉福音教会編　中央法規出版（株）
10 『写真記録　昭和の歴史4―民主主義の時代』小学館（一九八四年）
11 『昭和―二万日の全記録　第七巻　廃墟からの出発　昭和20年～21年』講談社（一九八九年）
12 『戦争中の暮しの記録』暮らしの手帖編（一九六九年）
13 『昭和時代』中島健蔵著　岩波新書（一九五七年）
14 『吉沢久子、27歳の空襲日記』吉沢久子著　文春文庫（二〇一五年）

15 「私の戦中記　子どもに語る母の歴史」元木キサ子著　桐朋学園初等部PTA編集部編（一九七一年）
16 「私の教育体験記　子どもに語る母の歴史」桐朋学園初等部のPTA編集部編（一九七二年）
17 『日立のいまむかし』ふるさとひたち刊行会編　図書刊行会（一九九三年）
18 『図説日立市史』日立市編さん委員会（一九八九年）
19 『写真で見る日立工場75年史』（株）日立製作所日立工場、写真で見る日立工場75年史編纂委員会
20 『日立街史』（日立五十年の記録）鈴木茂男著　第一企画出版（一九八八年）
21 『日立戦災史』日立市の戦災と生活を記録する市民の会編（一九八二年）
22 『丘の上の教会　日立聖アンデレ教会八十年史』
23 『北関東教区七十年史』日本聖公会北関東地区、教区七十周年記念運動歴史編纂委員会
24 『十四歳の戦争』茨城県日立高女昭和十八年入学生の会（一九九〇年）
25 『日立のスケッチ』高橋市蔵
26 『日立戦災秘話』大和和夫著（株）日立製作所日立工場日立会ぽんぽん編集部（一九七六年）
27 『日立の空襲　語りつぐ戦災体験』日立市郷土博物館（二〇〇三年）
28 『米軍が記録した日本空襲』平塚柾緒編著者　草思社（一九九五年）
29 「日立市報」第383、384、385号、市制30周年シリーズ、日立市役所　渡辺正（編集発行人）
30 『聖書』舊新約聖書（きゅうしんやく）　日本聖書協会（一九八一年）
31 『讃美歌』日本基督教団讃美歌委員会編　日本基督教団出版事業部（一九三一年）

ベツレヘムの星

2020 年 2 月 10 日 初版発行

著　者 ── 原 野百合

発行者 ── 安田 正人

発行所 ── 株式会社ヨベル　YOBEL, Inc.
〒 113-0033 東京都文京区本郷 4-1-1-5F
TEL03-3818-4851　FAX03-3818-4858
e-mail：info@yobel. co. jp

本文イラスト ──Chigiri
印刷 ── 中央精版印刷株式会社

配給元 ── 日本キリスト教書販売株式会社（日キ販）
〒 162 - 0814　東京都新宿区新小川町 9-1
振替 00130-3-60976　Tel 03-3260-5670

ISBN978-4-909871-11-4 C0093